# Deutsch für Jugendliche

## Kursbuch A1

von
Stefanie Dengler
Cordula Schurig
Ute Koithan
Theo Scherling
Anna Hila
Michael Koenig

**Klett-Langenscheidt**

München

**Von**
Stephanie Dengler, Cordula Schurig, Ute Koithan, Theo Scherling, Anna Hila und Michael Koenig
in Zusammenarbeit mit Daniela Becht und Sarah Fleer
Trainingskapitel von Katja Behrens und Stefanie Dengler

**Redaktion:**
Cordula Schurig und Angela Kilimann

**Koordination:**
Sabine Wenkums

**Gestaltungskonzept und Layout:**
Andrea Pfeifer

**Umschlaggestaltung:**
Andrea Pfeifer; Cover-Foto: ehrenberg-bilder – Fotolia.com

**Zeichnungen:**
Anette Kannenberg und Daniela Kohl

**Satz und Litho:**
Britta Petermeyer, SNOW, München

Verlag und Autoren danken Ulrike Mühling, Boris Dornstädter, Silvana Weber und ihren Schülerinnen und Schülern vom Max-Planck-Gymnasium München Pasing für ihr Engagement und ihre Mitwirkung bei den Fotoaufnahmen.

| **Logisch! neu – A1 – Materialien** | |
|---|---|
| Kursbuch A1 mit Audios zum Download | 605201 |
| Arbeitsbuch A1 mit Audios zum Download | 605202 |
| Lehrerhandbuch A1 mit Video-DVD | 605207 |
| Intensivtrainer A1 | 605208 |
| Testheft A1 mit Audio-CD | 605209 |
| Logisch! neu digital A1 mit interaktiven Tafelbildern | 605210 |

| **Logisch! neu – A1 in Teilbänden** | |
|---|---|
| Kursbuch A1.1 mit Audios zum Download | 605203 |
| Arbeitsbuch A1.1 mit Audios zum Download | 605204 |
| Kursbuch A1.2 mit Audios zum Download | 605205 |
| Arbeitsbuch A1.2 mit Audios zum Download | 605206 |

In einigen Ländern ist es nicht erlaubt, in das Kursbuch hineinzuschreiben.
Wir weisen darauf hin, dass die in den Arbeitsanweisungen formulierten Schreibaufforderungen immer auch im separaten Schulheft erledigt werden können.

**Audios zum Arbeitsbuch:**
Aufnahme und Schnitt: Heinz Graf / Christoph Tampe
Regie: Heinz Graf und Angela Kilimann / Sabine Wenkums
Produktion: Tonstudio Graf, 82178 Puchheim / Plan 1, München
Sprecherinnen und Sprecher: Ulrike Arnold, Vincent Buccarello, Marco Diewald, Sarah Diewald, Clara Gerlach, Emily Gill, Jakob Gutbrod, Jana Kilimann, Maxim Kursakov, Barbara Kretzschmar, Crock Krumbiegel, Detlef Kügow-Klenz, Sebastian Mann, Lars Mannich, Charlotte Mörtl, Sebastian Müller, Maren Rainer, Lorena Rauter, Jakob Riedl, Leon Romano-Brandt, Pia Schröder, Leyla Sperling, Peter Veit, Florian Vogt, Julia Wall, Sabine Wenkums
Audio-Dateien zum Download unter www.klett-sprachen.de/logisch-neu/audiosA1
Audios Kursbuch A1, Kapitel 1–8: Code: logNeu1m&C5
Audios Kursbuch A1, Kapitel 9–16: Code: logNeu1n&C5

Besuchen Sie uns auch im Internet:
www.klett-sprachen.de/logisch-neu

1. Auflage 1 [5 4 3 2] | 2020 19 18 17 16


Gesamtherstellung: www.longo.media

ISBN 978-3-12-605201-6

# So geht's – Logisch!

*Hallo, ich heiße Dora.*
*Ich gebe euch viele gute Tipps zum Deutschlernen.*
*Hier erkläre ich euch* Logisch!
*Darf ich vorstellen?*

## Symbole

 Hört die Gespräche.

 Hört und sprecht mit.

 Vergleicht eure Sprache mit Deutsch oder anderen Sprachen – und umgekehrt.

 Hier gibt es Anregungen für Projekte.

 Hierzu gibt es im Lehrerhandbuch Kopiervorlagen mit Vorschlägen zu fächerübergreifendem Lernen (CLIL).

 Hier lernt ihr Schreiben.

 Hierzu gibt es ein Tafelbild in Logisch! neu digital oder unter www.klett-sprachen.de/tafelbilder

 Diese Übung im Arbeitsbuch bereitet auf die Prüfung „Fit in Deutsch" oder „Kid" vor.

 Seht das Video.

## Kursbuch und Arbeitsbuch

Zu jeder Aufgabe im Kursbuch gibt es eine Übung im Arbeitsbuch. Zu Aufgabe **1** im Kursbuch macht ihr Übung **1** im Arbeitsbuch. Das ist doch logisch, oder?

Es gibt vier Trainingskapitel. In jedem Training findet ihr eine Grammatikübersicht. Ihr lernt die Fit-Prüfung kennen und bekommt Tipps. Es gibt Informationen über Deutschland, Österreich und die Schweiz. Oder es gibt ein Spiel oder eine Aufgabe für eure Kreativität und Fantasie. Im Arbeitsbuch gibt es auch vier Trainingskapitel. Hier könnt ihr Lerntechniken kennenlernen und üben.

# Logisch! Neu A1 – Inhalt

# 1

**Wir lernen:**
sich und andere vorstellen | buchstabieren | Zahlen von 0 bis 20 | nach Telefonnummer und Alter fragen | sich begrüßen und verabschieden
Personalpronomen Singular: *ich, du, er, sie* |
Verben *sein* und *heißen* | W-Fragen

# Hallo! Ich heiße ...

## 1 Hallo! Guten Tag.

1.1

**a Hört die Gespräche.**

**b Hört noch einmal und lest mit.**

*Guten Tag, Herr Schulze. Mein Name ist Ina Huber.*

*Ich bin Laura. Und du? Wie heißt du?*

*Hallo! Ich bin Anna. Wer bist du?*

*Hallo Finn!*

*Hallo Jonas!*

*Ich heiße Martin.*

*Guten Tag, Frau Huber! Herzlich willkommen!*

## 2 Vornamen

1.2

**a Hört und sprecht die Vornamen.**

**b Kennt ihr andere deutsche Namen? Schreibt an die Tafel.**

## 3 Ich heiße Anna. Wie heißt du?

1.3 **a Hört und lest das Gespräch.**

- ● Hallo! Ich heiße Anna. Wie heißt du? ○ Ich heiße Laura.

**b Fragt und antwortet in der Klasse.**

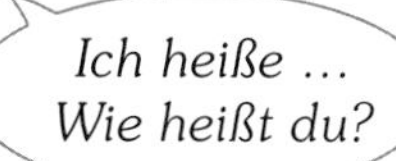


*Ich heiße …*

ich, du, er, sie …
ich
du
er
sie

1.4 **c Hört das Gespräch. Lest und übt zu dritt mit euren Namen.**

- ▶ Hallo! Ich heiße Finn. Und er heißt Jonas.
- ▷ Hallo Finn! Äh … Entschuldigung … Wie heißt du noch mal?
- ■ Jonas. Ich heiße Jonas.

*Hallo! Ich heiße Dora.*

| heißen | | |
|---|---|---|
| Ich | heiß**e** | … |
| Wie | heiß**t** | du? |
| Er | heiß**t** | … |

## 4 Wie ist dein Name?

1.5 **Hört und lest das Gespräch.**

- ● Mein Name ist Ina Huber. Ich bin die Deutschlehrerin. Wie ist dein Name, bitte?
- ○ Ich heiße Jonas.
- ● Und wie ist dein Familienname?
- ○ Löscher.

## 5 Ich bin Finn. Wer bist du?

1.6 **a Hört und lest das Gespräch.**

- ● Ich bin Finn. Wer bist du?
- ○ Ich bin Laura. Und das ist Hanna. Sie ist meine Freundin.

| sein | | |
|---|---|---|
| Ich | **bin** | … |
| Wer | **bist** | du? |
| Er | **ist** | … |
| Sie | **ist** | … |

**b Ergänzt das Gespäch im Heft.**

- ▶ Ich … Anna. Wer … du?
- ▷ Ich … Hanna. Und das … Finn. Er … mein Freund.

**c Fragt und antwortet in der Klasse.**

→ *Ich bin Markus. Und das ist Maria. Sie ist meine Freundin.* → *Ich bin Maria. Wer bist du?*

## 6 Gespräche in der Klasse

**Schreibt zu zweit ein Gespräch. Spielt das Gespräch in der Klasse.**

Hallo! • Guten Tag! • Ich bin … • Ich heiße … • Mein Name ist … •
Wer bist du? • Entschuldigung, wie heißt du? • Wie ist dein Vorname/Familienname? •
Das ist … • Er ist … / Sie ist …

## 7 Wie bitte?

1.7

**a Hört das Gespräch. Was passt: Bild A oder Bild B?**

**b Lest und übt das Gespräch zu zweit.**

Paul: Aua!
Pia: Entschuldigung!
Paul: Wer ist denn das?
Pia: Das ist Plato, mein Hund.
Paul: Wie bitte? Wie heißt er?
Pia: Plato.
Paul: Wie buchstabiert man das?
Pia: P-L-A-T-O.

## 8 Das Alphabet

1.8

**a Hört und sprecht nach.**

| A | B | C | D | E | F | G | H | I | J | K | L | M | N | O | P | Q | R | S | T | U | V | W | X | Y | Z |
|---|---|---|---|---|---|---|---|---|---|---|---|---|---|---|---|---|---|---|---|---|---|---|---|---|---|
| a | b | c | d | e | f | g | h | i | j | k | l | m | n | o | p | q | r | s | t | u | v | w | x | y | z |
| Ä, ä | | | | | | | | | | | | | | Ö, ö | | | | ß | | Ü, ü | | | | | |

**b Und euer Alphabet? Was ist anders?**

*Z heißt auf Deutsch „Tsett".*

## 9 Der ABC-Rap

1.9

**a Hört und klatscht mit.**

**b Hört und singt mit.**

## 10 Namen in der Klasse

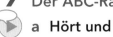

**Buchstabiert. Die anderen raten.**

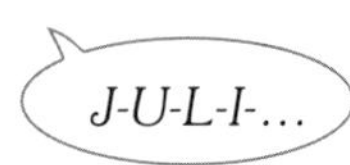

*J-U-L-I-…*

*Julia!*

## 11 Die Zahlen von 0 bis 20

1.10

**a Hört und lest die Zahlen.**

| | | | | |
|---|---|---|---|---|
| 0 null | 1 eins | 6 sechs | 11 elf | 16 sechzehn |
| | 2 zwei | 7 sieben | 12 zwölf | 17 siebzehn |
| | 3 drei | 8 acht | 13 dreizehn | 18 achtzehn |
| | 4 vier | 9 neun | 14 vierzehn | 19 neunzehn |
| | 5 fünf | 10 zehn | 15 fünfzehn | 20 zwanzig |

**b Übt zu zweit.**

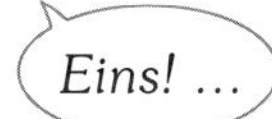

*Vier! …*

## 12 Fünf ruft Drei

**Spielt zusammen im Klassenzimmer.**

Maximal 20 Schülerinnen und Schüler sitzen in einem Kreis. ● Zählt: Jeder ist eine Zahl. ● Ruft die anderen auf.

## 13 Projekt: Zahlen in der Schule

**Sucht die Zahlen von 0 bis 20 in eurer Schule. Macht Fotos.**

## 14 Wie ist deine Telefonnummer?

1.11

**a Hört das Gespräch. Lest das Gespräch zu zweit.**

Pia: Wie ist deine Telefonnummer?
Paul: 0-1-7-2 …
Pia: 0-1-7-3 …
Paul: Nein! 0-1-7-2!
Pia: … 7-2 …
Paul: Und dann 4-5-8-4-3-5-9-2.
Pia: … 4-5-8-4-3-5-9-2.
Paul: Ja, genau!
Pia: Ich rufe an. Tschüs!

**b Übt zu zweit. Diktiert eure Telefonnummern.**

**W-Fragen**

**Wie** (ist) deine Telefonnummer?
**Wie** alt (bist) du?
**Wer** (ist) das?
**Wie** (heißt) er?

## 15 Wie alt bist du?

1.12

**a Hört das Gespräch. Lest das Gespräch zu zweit.**

Pia: Wie alt bist du, Paul?
Paul: Ich bin 14. Und du?
Pia: Ich bin 13 Jahre alt.

**b Übt das Gespräch zu zweit mit euren Namen. Spielt dann in der Klasse.**

## 16 Tag für Tag

1.13

**a Seht die Bilder an. Hört die Gespräche.**

**b Was passt zu welchem Bild? Schreibt ins Heft.**

A ● Guten Tag, Kinder. ○ Guten Morgen, Frau Müller!
B ● Auf Wiedersehen, mein Schatz! ○ Tschüs, Mama!
C ● Guten Abend.
D ● Guten Morgen, Pia! ○ Guten Morgen.
E ● Gute Nacht, Papa! ○ …
F ● Hallo, Pia! ○ Hallo, Nadja!

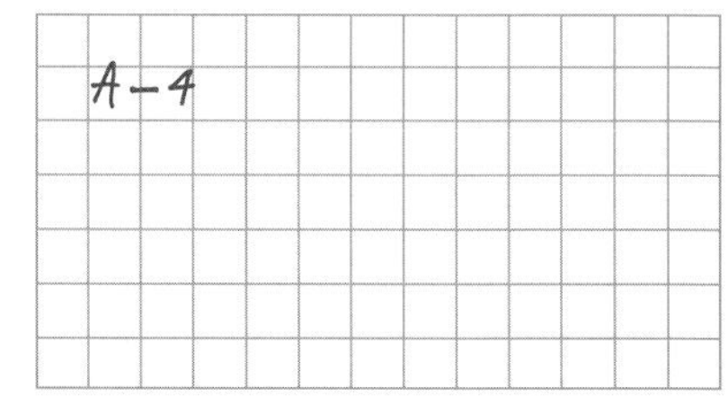

1.13

**c Hört die Gespräche noch einmal zur Kontrolle.**

## Kannst du das schon?

### sich und andere vorstellen

- Ich heiße Anna.
  Ich bin Laura.
  Mein Name ist Ina Huber. Ich bin die Deutschlehrerin.
- Er heißt Jonas.
  Das ist Finn. Er ist mein Freund.
  Das ist Hanna. Sie ist meine Freundin.
  Das ist Plato, mein Hund.

### Personalpronomen Singular

- ich
  du
  er
  sie

### buchstabieren

- A B C D E F G H I J K L M N O P Q R S T U V W X Y Z, Ä Ö Ü
  a b c d e f g h i j k l m n o p q r s t u v w x y z, ä ö ü, ß

### Zahlen von 0 bis 20

- 0 null

| | | | |
|---|---|---|---|
| 1 eins | 6 sechs | 11 elf | 16 sechszehn |
| 2 zwei | 7 sieben | 12 zwölf | 17 siebzehn |
| 3 drei | 8 acht | 13 dreizehn | 18 achtzehn |
| 4 vier | 9 neun | 14 vierzehn | 19 neunzehn |
| 5 fünf | 10 zehn | 15 fünfzehn | 20 zwanzig |

### nach Telefonnummer und Alter fragen

- ● Wie ist deine Telefonnummer?
  ○ 0172 45 84 35 92
- ● Wie alt bist du?
  ○ Ich bin 13 Jahre alt.

### W-Fragen

- Wer bist du? | Wie heißt du? |
  Wie ist dein Name/Vorname/Familienname?
- Wer ist das? | Wie heißt er?
- Wie buchstabiert man das? | Wie ist deine Telefonnummer? |
  Wie alt bist du?

### sich begrüßen und verabschieden

- Hallo! | Guten Morgen. | Guten Tag. | Guten Abend.
- Tschüs. | Auf Wiedersehen. | Gute Nacht.

Wie bitte?
Ja. / Nein. / Genau!



## Noch einmal, bitte

### sich/andere vorstellen

Wie heißt du?
Wie heißt dein Freund?
*Ich heiße ... / Mein Name ist ...*
*Das ist ...*

### Personalpronomen Singular

Vier Personen in der Klasse.
Wie heißen sie?
Zeigt auf die Person.

*Er heißt ...*
*Du ...*

### buchstabieren

Sagt das Alphabet.
*A, B, C ...*

### Zahlen von 0 bis 20

Zählt von 0 bis 20.
*Null, eins, zwei, ...*

### Telefonnummer und Alter

Fragt nach.
*Wie ...?* ○ *0163 75 76 34*
*Wie ...?* ○ *14.*

### W-Fragen

Stellt Fragen:
● ... ○ *Jonas.*
● ... ○ *Löscher.*
● ... ○ *P-L-A-T-O.*
● ... ○ *0176 572 93 86.*

### begrüßen/verabschieden

Hallo und tschüs.
Was könnt ihr noch sagen?

2

**Wir lernen:**
Schulsachen | Zahlen bis 100 | über die Schule sprechen
bestimmter Artikel im Nominativ: *der, das, die* | Plural |
Verbformen: *du lernst, du hast …* | Ja-/Nein-Fragen |
Personalpronomen Plural: *sie* | *mein* und *dein*

# Lernst du Deutsch?

## 1 Meine Schulsachen. Wie sagt man das auf Deutsch?

**a Wie heißen die Sachen? Sprecht zu zweit.**

1.14 **b Welche Wörter aus 1a hört ihr? Zeigt auf das Foto.**

## 2 Von wem sind die Sachen?

**a Die Brille ist von … Was glaubt ihr?**

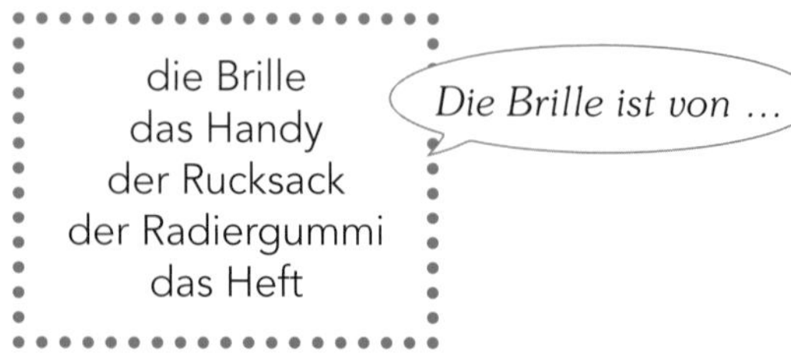

die Brille
das Handy
der Rucksack
der Radiergummi
das Heft
*Die Brille ist von …*

*Pia*

*Paul*

*Frau Müller*

1.15 **b Hört zur Kontrolle.**

## 3 Typisch deutsch: *der, das, die*

**a Macht eine Tabelle im Heft. Schreibt die Wörter aus Aufgabe 1 in die Tabelle.**

| der | das | die |
|---|---|---|
| Bleistift, ... | Buch, ... | ... |

Achtung:
der, das, die
ist wichtig!

**b Wie ist das in eurer Sprache? Gibt es *der*, *das*, *die*?**

## 4 Wörter im Plural

**a Wie heißt der Singular?**

die Bücher
das ...

die Bücher • die Lehrerinnen • die CDs • die Rucksäcke • die Computer • die Schüler • die Brillen • die Hefte • die Handys • die Hunde • die Radiergummis • die Bleistifte

**b Macht eine Tabelle an der Tafel. Schreibt die Wörter aus 4a in die Tabelle.**

| Singular | Plural |
|---|---|
| der Bleistift | die Bleistifte |
| das Buch | die Bücher |
| die ... | ... |

Lernt Singular und Plural immer zusammen!

## 5 Das Buch – die Bücher! Die Bleistifte – der ...?

**Spielt in der Klasse.**

Schreibt für jedes Wort aus 4a zwei Kärtchen: ein Kärtchen für das Wort im Singular (der, das, die ...) und ein Kärtchen für das Wort im Plural (die ...). • Mischt alle Kärtchen. • Jeder zieht ein Kärtchen. • Welche Kärtchen passen zusammen?

das Buch
das Buch
die Bücher
die Bücher

**bestimmter Artikel im Nominativ**

| | |
|---|---|
| **der** Bleistift | **die** Bleistifte |
| **das** Buch | **die** Bücher |
| **die** Brille | **die** Brillen |

## 6 Nadja und Robbie

1.16

**a Hört das Gespräch. Findet Nadja Robbie nett?**

*Ja.*
*Nein.*
*Ich weiß nicht.*

**b Was antwortet Nadja? Sortiert an der Tafel. Schreibt das Gespräch dann ins Heft.**

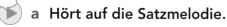

Nein. • Ja. • Hm, nö. • Ja. • Ja. • Na klar! • Puhhh … 2-7-3-9-4-8.

1. Ist deine Schultasche schwer?
2. Lernst du Englisch?
3. Hast du ein Handy?
4. Wie ist deine Telefonnummer?
5. Magst du Musik?
6. Kennst du Robbie Williams?
7. Kennst du meine Band schon?

**c Hört noch einmal zur Kontrolle.**

**d Schreibt die Verben mit *du* in euer Heft.**

| du |
|---|
| du lern**st** |
| du ha**st** |
| du mag**st** |
| du kenn**st** |

## 7 Lernst du Deutsch?

1.17

**a Hört auf die Satzmelodie.**

1. Lernst du Deutsch? ↗ — Du lernst Deutsch. ↘
2. Magst du Musik? ↗ — Du magst Musik. ↘
3. Kennst du Robbie Williams? ↗ — Du kennst Robbie Williams. ↘

1.16

**b Hört noch einmal das Gespräch von Nadja und Robbie aus Aufgabe 6a. Wo hört ihr ↗? Steht auf.**

## 8 Viele Fragen

**Übt zu zweit. Lest das Gespräch von Nadja und Robbie (Aufgabe 6b) laut.**

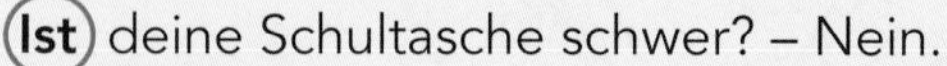

**Ja-/Nein-Fragen**

(Ist) deine Schultasche schwer? – Nein.

(Lernst) du Englisch? – Ja.

*Ist deine Schultasche schwer?*

*Lernst …?*

…

## 9 Ist das dein Freund?

1.18

**a Seht die Bilder an und hört die Gespräche. Was passt zusammen?**

A

B
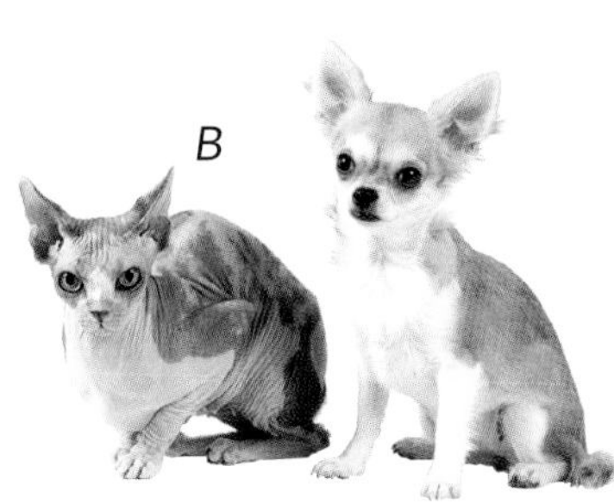
C

D

1. ● Wow, wer ist das?
   ○ Das ist meine Deutschlehrerin.
   ● Deine Deutschlehrerin???
2. ● Sind das deine Hunde?
   ○ Meine Hunde? Das sind meine Katzen! Sie heißen Mimi und Mieze.
   ● Deine Katzen? Deine Katzen? Ha, ha, haaa!
3. ○ Sind das deine Schuhe?
   ● Ja, das sind meine Sportschuhe. Cool, was?
   ○ Hmhm. Ja, die sind okay.
4. ○ Ist das dein Freund?
   ● Mein Freund? Quatsch! Das ist … äh … das ist Paul.

*Es gibt „sie" im Singular und im Plural!*

**b Lest und spielt die Gespräche.**

*Das ist … / Das sind …*

*Ist das …? / Sind das …?*

**sie (Plural)**
sie **sind**
sie heiß**en**

## 10 *Mein* und *dein*, *meine* und *deine*

**a Lest die Wörter. Macht dann die Bücher zu. Schreibt alle Wörter an die Tafel.**

die Freunde, die Freundin, der Hund,
das Handy, die Schultasche, die Lehrerinnen,
das Buch, der Bleistift, die Brille, die Schuhe,
der Computer, das Heft, die Telefonnummern

| mein/dein | |
|---|---|
| der | **mein/dein** Hund |
| das | **mein/dein** Handy |
| die | **meine/deine** Lehrerin |
| die | **meine/deine** Schuhe |

**b Schreibt die Wörter von der Tafel auf Kärtchen. Spielt mit den Kärtchen. Die Wörter an der Tafel helfen.**

Ist das deine Schultasche?

Nein, das ist mein Hund.
der Hund

## 11 Der Zahlen-Rap. Wie heißen die Zahlen von 0 bis 20?

**Macht in der Klasse Zahlen-Raps.**

## 12 Die Zahlen von 20 bis 100

1.19

**a Hört die Zahlen und lest mit.**

21 33 49 50 56 65 78 87 95 100

**b Sortiert die Zahlen und schreibt sie ins Heft wie im Beispiel.**

einundzwanzig • fünfundneunzig • hundert • fünfzig • achtundsiebzig • siebenundachtzig • fünfundsechzig • dreiunddreißig • sechsundfünfzig • neunundvierzig

*21: einundzwanzig,*
*33: drei...*

**c Zahlen von 20 bis 100.**
**Macht eine Tabelle an der Tafel und im Heft.**

| | |
|---|---|
| *20 → zwanzig* | *70 →* |
| *30 →* | *80 →* |
| *40 →* | *90 →* |
| *50 →* | *100 →* |
| *60 →* | |

## 13 Meine Klasse

1.20

**a Hört den Text. Wie heißen die Zahlen? Schreibt die Zahlen ins Heft.**

1. Ich gehe in die Sokrates-Schule. In die Klasse .
2. Ich habe  Stunden Unterricht pro Woche.
3. Ich lerne  Sprachen: Deutsch und Englisch.
4. Ich habe  Lehrer und  Lehrerinnen.

**b Lest den Text mit Zahlen.**

**c Und eure Klasse?**
**Schreibt einen Text wie in 13a.**

*Ich gehe in die ... – Schule. Ich gehe in die Klasse ...*

## 14 Projekt: Fantasie-Person

**Arbeitet zu zweit. Sucht ein Foto von einer Person im Internet oder in einem Magazin. Was sagt die Person? Macht ein Poster.**

## Kannst du das schon?

**bestimmter Artikel im Nominativ:** ***der, das, die***
- der Bleistift | der Rucksack | der Radiergummi | der Computer | der Schüler
- das Buch | das Heft | das Handy
- die CD | die Brille | die Schultasche | die Lehrerin

**Plural**
- die Bleistifte | die Rucksäcke | die Radiergummis | die Computer | die Schüler | die Bücher | die Hefte | die Handys | die CDs | die Brillen | die Schultaschen | die Lehrerinnen

**Ja-/Nein-Fragen**
- ● Lernst du Englisch? ○ Ja.
  ● Hast du ein Handy? ○ Ja.
  ● Magst du Musik? ○ Ja.
  ● Kennst du meine Band schon? ○ Nein.
- ● Sind das deine Hunde?
  ○ Nein, das sind meine Katzen. Sie heißen Mimi und Mieze.

***mein*** **und** ***dein***
- mein Hund, mein Handy, meine Klasse, meine Schuhe
- dein Hund, dein Handy, deine Klasse, deine Schuhe

**Zahlen bis 100**
- 20 zwanzig, 21 einundzwanzig, 22 zweiundzwanzig, 23 dreiundzwanzig, 24 vierundzwanzig, 25 fünfundzwanzig, 26 sechsundzwanzig, 27 siebenundzwanzig, 28 achtundzwanzig, 29 neunundzwanzig
- 30 dreißig, 31 einunddreißig ...
- 40 vierzig, 50 fünfzig, 60 sechzig, 70 siebzig, 80 achtzig, 90 neunzig, 100 (ein)hundert

**über die Schule sprechen**
- Ich gehe in die ... -Schule, ... in die Klasse ...
  Ich habe ... Stunden Unterricht pro Woche ...
  Ich lerne ... Sprachen: ... und ...
  Ich habe ... Lehrerinnen und ... Lehrer.

Nö. | Puh! | Na klar!
Wow! | ... äh ... | Quatsch!
Du bist dran.

## Noch einmal, bitte

***der, das, die***
Nennt möglichst viele Schulsachen mit Artikel.

**Plural**
Wie heißt der Plural?

**Ja-/Nein-Fragen**
Stellt viele Fragen.
*... Englisch?*
*... Handy?*
*... Musik?*
*... meine Band?*
*... deine Hunde?*
...

***mein*** **und** ***dein***
Nennt drei Beispiele.

**Zahlen bis 100**
Zählt von 20 bis 100.

**über die Schule sprechen**
Macht Sätze.
*... -Schule, ... in die Klasse ..., ... Stunden Unterricht pro Woche, ... Sprachen, ... Lehrerinnen und ... Lehrer*

*Wow!*

## 3

**Wir lernen:**
Länder | Kontinente | über die Herkunft sprechen
Woher? – *aus* | Verb *kommen* | unbestimmter Artikel im Nominativ: *ein, eine* | Verneinung mit *kein, keine* | Wo? – *in*

# Ich komme aus ...

## 1 Länder und Kontinente

1.21

**a Hört die Ländernamen. Sprecht nach. Wie heißen die Länder in euren Sprachen?**

Japan • Deutschland • Brasilien • die Ukraine • Finnland • Kenia • Italien • die USA • Polen • die Türkei • Australien • Spanien • Österreich • Portugal • die Schweiz • Bulgarien

Achtung: **die** Schweiz, **die** Türkei, **die** USA!

1.22

**b Hört die Gespräche. Welche Länder und Kontinente hört ihr? Ergänzt die Tabelle an der Tafel.**

| Amerika | Europa | Afrika | Asien | Australien |
| --- | --- | --- | --- | --- |
| | | | die Türkei | |

**c Quiz: Wo liegen die Länder aus 1a? Sprecht in der Klasse und ergänzt die Tabelle.**

**d Kennt ihr noch mehr Länder? Sammelt in der Klasse.**

Japan liegt in Asien.

**e Länderkennzeichen: Fragt in der Klasse und ratet.**

          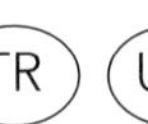


Was ist TR?

Die Türkei.

## 2 Woher?

**Ratet und lest die Antworten laut vor.**

1 

2

**Woher? – aus**

**aus** Deutschland, **aus** Österreich
**aus der** Schweiz, **aus der** Türkei
**aus den** USA

3 

4

5 

6

1. Die Uhren kommen
2. Die Schuhe kommen
3. Wolfgang Amadeus Mozart kommt
4. Die Schokolade kommt
5. Die Sachertorte kommt
6. Die Autos kommen

A aus Deutschland.
B aus Österreich.
C aus der Schweiz.

1C, 2A, 3B, 4C, 5B, 6A

## 3 Woher kommt ...? Woher kommen ...?

**Übt zu zweit.**

| | | | | |
|---|---|---|---|---|
| 1. J | das Handy | | 5. I | das Auto |
| 2. TR | die Schuhe | | 6. USA | der Computer |
| 3. CH | die Uhr | | 7. D | die Bücher |
| 4. A | der Radiergummi | | 8. P | die Brille |

*Woher kommt das Handy?*

*Aus Japan. Woher kommen die Schuhe?*

*Aus ...*

| **kommen** | | |
|---|---|---|
| ich | Ich | komm**e** aus ... |
| du | Woher | komm**st** du? |
| er/es/sie | Woher | komm**t** das Handy? |
| sie (Plur.) | Die Schuhe | komm**en** aus ... |

## 4 Woher kommst du?

**Übt in der Klasse.**

Jeder schreibt ein Land auf ein Kärtchen. ● Tauscht die Kärtchen. ● Alle gehen in der Klasse herum und fragen die anderen.

Voher kommst du?
Ich komme aus Italien. Und du? Woher kommst du?
Ich komme aus ...
PORTUGAL
ITALIEN
Woher kommst du?
PORTUGAL

## 5 Projekt: Quiz „Woher kommt ...?"

**Arbeitet in Gruppen.
Sucht Fotos von berühmten Personen und macht ein Quiz.
Die anderen raten.**

Woher kommt ...

**Wolfgang Amadeus Mozart?**

A aus Österreich

B aus der Schweiz

C aus Deutschland

## 6 Was ist das?

**Sprecht in der Klasse.**

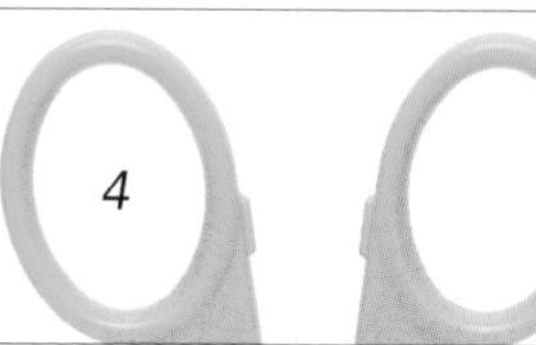


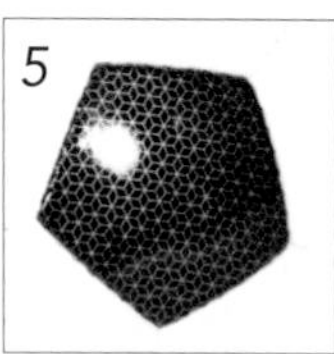


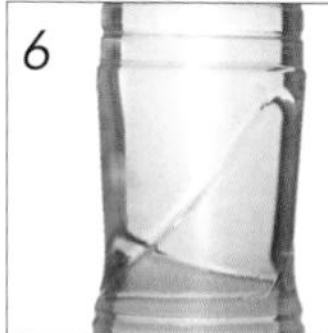

1. Ist das ein Fahrrad oder ein Auto?
2. Ist das ein Hund oder eine Katze?
3. Ist das ein Handy oder ein Fotoapparat?
4. Ist das eine Brille oder eine Schere?
5. Ist das ein Fußball oder ein Tennisball?
6. Ist das eine Flasche oder ein Glas?
7. Sind das CDs oder Pizzas?
8. Sind das Tennisschuhe oder Fußballschuhe?

| ein/eine | | | | |
|---|---|---|---|---|
| der | Hund | → | **ein** | Hund |
| das | Auto | → | **ein** | Auto |
| die | Flasche | → | **eine** | Flasche |
| die | Schuhe | → | | Schuhe |

## 7 Das Fahrrad – ein Fahrrad

**a Macht eine Tabelle an der Tafel und sortiert die Wörter. Ergänzt *ein/eine*.**

die Lehrerin • der Computer • das Heft • die Schüler • der Radiergummi • die Uhr • der Fotoapparat • die Gläser • die Flaschen • die Fahrräder • die Schere • die Fußbälle

| der | das | die | Plural |
|---|---|---|---|
| ein Computer | ein Heft | eine Lehrerin | Schüler |
| ... | ... | ... | ... |

**b Übt mit Gegenständen im Klassenzimmer.**

*Eine Schere.*

*Eine Schere, ein Ball.*

*Eine Schere, ein Ball, ein Bleistift.*

*Eine Schere, ein Ball, ein Bleistift, eine ...*

## 8 Pia am Flughafen

**Was bedeuten die Schilder? Ein Satz bleibt übrig.**

1 
2 
3 
4 

5 

Keine Fotoapparate! • Keine Handys! • Keine Flaschen! • Keine Hunde! • Kein Problem! • Keine Scheren!

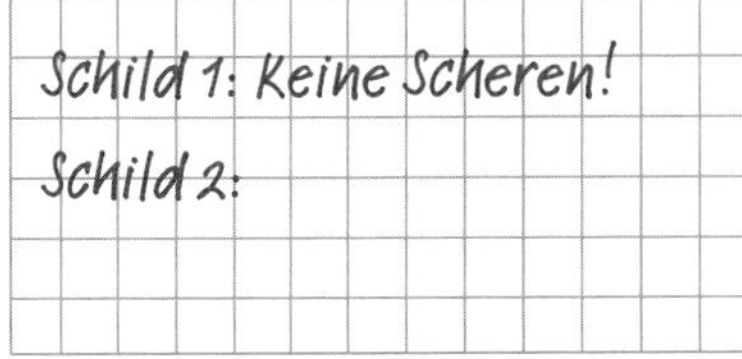


## 9 Was ist in der Tasche von Pia? Was ist nicht drin?

**Was seht ihr? Macht eine Liste an der Tafel.**

der Fotoapparat • der Tennisball • die Flasche • der Hund • die Uhr • die Schere • das Handy • das Buch • die Stifte • die Schuhe

| kein/keine | | | | | |
|---|---|---|---|---|---|
| der | **ein** | Hund | → | **kein** | Hund |
| das | **ein** | Handy | → | **kein** | Handy |
| die | **eine** | Flasche | → | **keine** | Flasche |
| die | | Hunde | → | **keine** | Hunde |

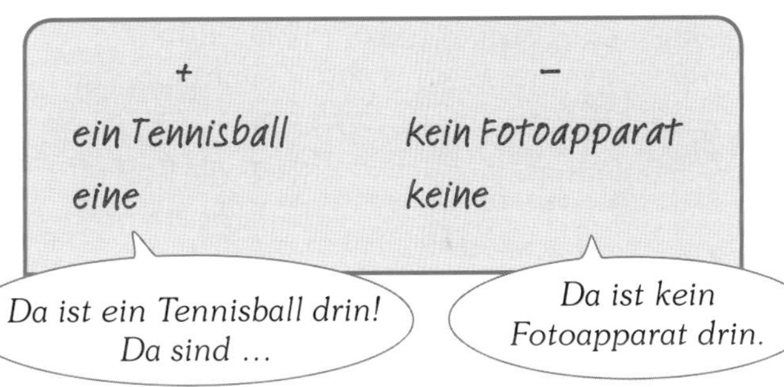


*Da ist ein Tennisball drin! Da sind …*

*Da ist kein Fotoapparat drin.*

## 10 Das ist doch kein Handy!

1.23
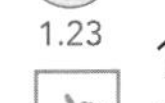

**Stimmt das? Hört gut zu.**

1. Das ist ein Handy.
2. Das ist ein Fotoapparat.
3. Das ist eine Uhr.
4. Das ist eine Flasche.
5. Das ist ein Fußball.
6. Das ist eine CD.

*Das ist ein Handy.*

*Nein, das ist doch kein Handy. Das ist ein Hund.*

## 11 Ein Chat

**a Lest den Chat. Sind die Sätze 1 bis 3 richtig oder falsch?**

1. Toshiba kommt aus Japan.
2. Akimi wohnt in Zürich.
3. Toshiba geht in die 7b.

*Satz 1 ist …*

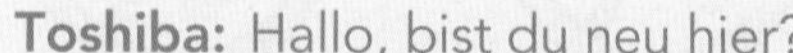

**Toshiba:** Hallo, bist du neu hier?
**Akimi:** Ja, ich bin neu. „Toshiba" – cooler Name ;-) Wo wohnst du? In Japan?
**Toshiba:** Nein, ich wohne in der Schweiz.
**Akimi:** Wo in der Schweiz?
**Toshiba:** In Zürich.
**Akimi:** Echt?! Ich wohne auch in Zürich. Wie heißt deine Schule?
**Toshiba:** Albert-Einstein-Gymnasium. Ich gehe in die Klasse 7b.
**Akimi:** Du auch?! Philipp, bist du das??? Ich bin Nicoletta!
**Toshiba:** Wow. Hallo Nicoletta!

**b Lest den Text zu zweit.**

## 12 Wo wohnst du?

**Land und Stadt. Was passt zusammen? Ordnet zu und spielt das Gespräch zu zweit.**

- ● Wo wohnst du?
- ○ Ich wohne in der Schweiz.
- ● Wo in der Schweiz?
- ○ In Bern.

| | |
|---|---|
| 1. die Schweiz | A Bern |
| 2. Österreich | B Istanbul |
| 3. Deutschland | C Hamburg |
| 4. die Türkei | D Madrid |
| 5. Spanien | E Salzburg |

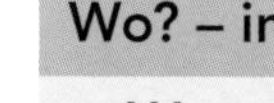

**Wo? – in**

- ● **Wo** wohnst du?
- ○ Ich wohne **in** Zürich. Ich wohne **in der** Schweiz.

## 13 Wer sind Akimi und Toshiba?

1.24

**Hört zu. Wie heißen die Antworten? Schreibt ins Heft.**

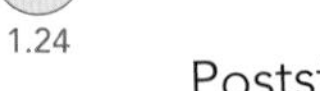

Poststraße 8 Philipp Merkurstraße 27 13 Zürich

*Chatname Toshiba: Er heißt …*

Wie heißt er/sie?
Wo wohnt er/sie?
Wie alt ist er/sie?
Woher kommt er/sie?
Wie ist die Adresse?

Zürich Griechenland Schweiz 14 Nicoletta

## 14 *f* oder *w*?

1.25

**Hört ihr *f* oder *w*? Schreibt die Wörter an die Tafel in eine Tabelle. Sprecht dann nach.**

**W**oche • **F**innland • **F**amilienname • **w**ohnen • **w**o • **F**lasche • **f**ünf • **f**ragen • **F**reund • **W**olfgang • **w**ie • **F**ahrrad • **w**er

## Kannst du das schon?

**Länder**
- Deutschland | Österreich | Finnland | Italien | Spanien | Portugal | Polen | Bulgarien | Kenia | Japan | Brasilien
- **die** Schweiz | **die** Türkei | **die** Ukraine | **die** USA

**Kontinente**
- Afrika | Amerika | Asien | Australien | Amerika

**Woher? – *aus***
- ● Woher kommst du? ○ Ich komme aus Italien.
- ● Woher kommt das Handy? ○ Aus den USA.
- ● Woher kommen die Uhren? ○ Aus der Schweiz.

**unbestimmter Artikel im Nominativ: *ein, eine***

| | | | | |
|---|---|---|---|---|
| – der | Hund | → | ein | Hund |
| – das | Auto | → | ein | Auto |
| – die | Uhr | → | eine | Uhr |
| – die | Schuhe | → | | Schuhe |

**Verneinung mit *kein, keine***

| | | | | |
|---|---|---|---|---|
| – ein | Hund | → | kein | Hund |
| – ein | Auto | → | kein | Auto |
| – ein**e** | Uhr | → | kein**e** | Uhr |
| – | Schuhe | → | kein**e** | Schuhe |

*stand im Manus -- oder –?*

**Wo? – *in***
- ● Wo wohnst du? ○ Ich wohne in der Schweiz.
  ● Wo in der Schweiz? ○ In Zürich.
- ● Wo wohnst du? ○ In den USA. / In Italien. / In Portugal.
- ● Wo liegt die Türkei? ○ In Asien und in Europa.

Kein Problem!
Das ist doch kein Handy!
● Ich wohne auch in Zürich. ○ Echt?!

## Noch einmal, bitte

**Länder**
Nennt möglichst viele Länder.
D A CH
TR I P E

**Kontinente**
Wie heißen die fünf Kontinente?

**Woher? – *aus***
Stellt Fragen und antwortet.
● *… du?* ○ *Ich …*
● *… Computer?* ○ *… Japan.*
● *… Bücher?*
○ *… Deutschland.*

***ein, eine***
Was ist das?
*Das ist eine … / Das sind …*

***kein, keine***
Ist das ein/eine …?
*Das ist/sind kein/keine …*
*Das ist/sind …*
Pizzas? Fußball?
Heft? Hund?

**Wo? – *in***
Spielt Dialoge.
*Türkei – Ankara*
*Portugal – Lissabon*
*Japan – Tokio*
● *Wo wohnst du?*
○ *Ich wohne in der Türkei.*
● *Wo …*

*Echt?!*

# 4

**Wir lernen:**
Berufe | Steckbriefe lesen und schreiben | Aktivitäten in der Freizeit | ein Interview verstehen und führen | Deutsch im Unterricht
Verneinung mit *nicht* | Modalverb *können* |
Personalpronomen Plural: *wir, ihr, Sie*

# Wer bist du?

## 1 Wer ist denn das?

**a Früher – heute: Ordnet zu.**

*Alter: 12*

*Brigitte Vogelmann, Deutschland.*
*Heute: Sekretärin*

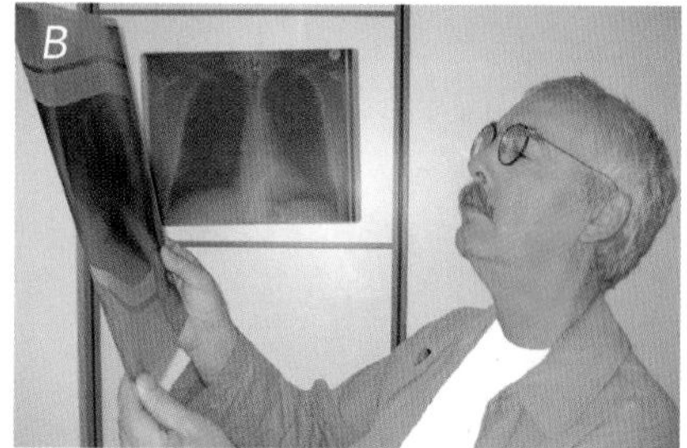


*Johannes Bauer, Schweiz.*
*Heute: Arzt*

*Alter: 6*

*Alter: 14*

*Alter: 6*

*Kai Hübner, Österreich.*
*Heute: Lehrer*

*Sonja Stellfeld, Österreich.*
*Heute: Sportlerin*

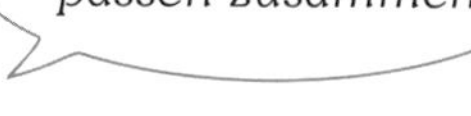

1.26

**b Hört die Personen. Kontrolliert dann eure Lösungen.**

## 2 Wie? Woher? Was?

**Lest die Informationen zu den Personen.**
**Stellt Fragen und antwortet in der Klasse.**

| | |
|---|---|
| Wie heißt die Person auf Foto A? | Er/Sie heißt … |
| Woher kommt …? | Sonja Stellfeld kommt aus … |
| Was arbeitet …? | … ist … von Beruf. |

**Berufe mit -in**

| | |
|---|---|
| der Lehrer | die Lehrer**in** |
| der Arzt | die **Ä**rzt**in** |

## 3 Steckbriefe

**a Lest den Steckbrief und ergänzt die Informationen an der Tafel.**

**Name:** Kai Hübner
**Alter:** 34 Jahre
**Adresse:** Riedgasse 67, 6020 Innsbruck, Österreich
**Telefonnummer:** 0512/556 89 71
**Beruf:** Lehrer

*Ich heiße ...*
*Ich bin ... Jahre alt.*
*Meine Adresse ist ...*
*Ich komme aus ...*
*Meine Telefonnummer ist ...*
*Ich bin ... von Beruf.*

**b Wer bist du? Schreibt eure Steckbriefe.**

Name – Alter – Adresse – Telefonnummer

**c Hängt eure Steckbriefe im Klassenzimmer auf. Stellt euch in der Klasse vor.**

## 4 Alles falsch!

**a Wer bist du nicht? Übt zu zweit.**

Ich heiße nicht Kai Hübner. Ich bin nicht ... Jahre alt.
Meine Adresse ist nicht ...

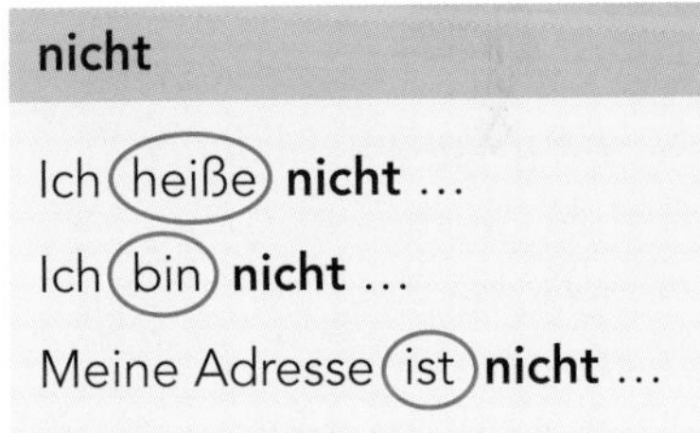

**nicht**

Ich (heiße) **nicht** ...
Ich (bin) **nicht** ...
Meine Adresse (ist) **nicht** ...

**b Name, Land, Alter.
Erfindet Personen und schreibt Mini-Steckbriefe.**

**c Fragt und antwortet wie im Beispiel. Tauscht dann die Mini-Steckbriefe und fragt andere Personen.**

## 5 Aktivitäten in der Freizeit

**Was passt zu welchem Bild?**

Fußball spielen • singen • Fahrrad fahren • im Internet surfen • kochen • Gitarre spielen • tanzen • schwimmen

## 6 Wer kann was?

1.27

**a Hört zu. Was ist richtig?**

*Paul Kunze, 14 Jahre*

Er kann …
A tanzen.
B Fußball spielen.
C kochen.

*Paul kann Fußball spielen.*

*Kolja Wagner, 13 Jahre*

Er kann …
A Fußball spielen.
B im Internet surfen.
C Fahrrad fahren.

*Kolja kann …*

*Nadja Schmidt, 13 Jahre und Jannik Schmidt, 5 Jahre*

Sie können …
A schwimmen.
B Gitarre spielen.
C singen.

*Nadja und Jannik können …*

**b Wer kann nicht …? Findet weitere Beispiele.**

*Jannik kann nicht schwimmen.*

*Paul kann nicht …*

| **können: er/sie, sie (Plural)** | | | |
|---|---|---|---|
| Er/Sie | **kann** | (nicht) | singen. |
| Er/Sie | **kann** | (nicht) | schwimmen. |
| Sie | **können** | (nicht) | tanzen. |

## 7 Was kannst du? Was kannst du nicht?

**Sprecht zu zweit. Die Verben aus Aufgabe 5 helfen.**

*Ich kann Fußball spielen. Und was kannst du?*

*Ich kann singen. Kannst du singen?*

*Ich kann nicht singen. Ich kann …*

| **können: ich, du** | | | |
|---|---|---|---|
| Ich | **kann** | | kochen. |
| Ich | **kann** | nicht | singen. |
| Was | **kannst** | du? | |
| | **Kannst** | du | kochen? |

Sie und sie (Plural):
Das Verb ist gleich!

## 8 Der neue Lehrer: ein Interview

### a Lest die Fragen. Versteht ihr alles?

1. Wie heißen Sie?
2. Woher kommen Sie?
3. Wo wohnen Sie?
4. Wie alt sind Sie?
5. Sind Sie verheiratet?
6. Haben Sie Kinder?
7. Können Sie Gitarre spielen?

Kai Hübner

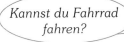

1.28

### b Was antwortet Kai Hübner? Hört das Interview zweimal. Beantwortet dann die Interviewfragen in der Klasse.

| | |
|---|---|
| ● Entschuldigen Sie, bitte. | ○ Ja, bitte. |
| ● Wir haben ein paar Fragen. | ○ Ja, gern. |
| ● Wie heißen Sie? | ○ Ich heiße … |
| ● Woher …? | ○ Ich komme aus … |
| ● Wo …? | ○ Ich wohne … |
| ● Und wie alt …? | ○ Ich bin … |
| ● Sind Sie …? | ○ Ja, ich bin … / Nein, ich bin nicht … |
| ● Haben Sie …? | ○ Ja, ich habe … Kinder. / Nein, ich habe keine Kinder. |
| ● Können Sie …? | ○ Ja, ich kann … / Nein, ich kann nicht … |
| ● Danke. | ○ Bitte. Und wie heißt ihr? |

### c Spielt Dialoge wie im Beispiel.

### d Wie ist das in euren Sprachen? Gibt es eine Anrede wie *Sie*?

## 9 Informationen

### a Sammelt Fragen an der Tafel.

*Kannst du …?* *Wie alt bist du?* *Hast du …?*

### b Pst! Sagt nicht euren Namen!

Schreibt einen Steckbrief über euch wie in Aufgabe 4b. Schreibt auch: Ich kann … ● Sammelt dann alle Steckbriefe ein. ● Jeder zieht einen Steckbrief. ● Dein Partner / Deine Partnerin fragt. Du antwortest. ● Sag nicht den Namen. Dein Partner muss raten: Welcher Name steht auf deinem Steckbrief?

Kannst du Fahrrad fahren?
Ja.
Bist du Thomas?
Nein!
MONIKA

## 10 Projekt: Freunde-Buch

### Macht ein Freunde-Buch für die Klasse.

Sammelt in der Klasse Fragen an der Tafel. ● Jede/r wählt sechs Fragen und beantwortet sie auf einem Blatt. ● Gestaltet das Blatt. ● Sammelt alle Blätter im Freunde-Buch.

## 11 *st* und *scht*

1.29 **Hört ihr *st* oder *scht*? Schreibt die Wörter in eine Tabelle an die Tafel.**

**St**eckbrief • Was kann**st** du? • Ö**st**erreich • du bi**st** … • **Str**aße • das i**st** … • Blei**st**ift • **St**adt • buch**st**abieren • Au**st**ralien • Wie hei**ßt** du?

| st | scht |
|---|---|
| Was kann<u>st</u> du? | <u>St</u>eckbrief |
| … | … |

## 12 Unser Deutschunterricht

1.30 **a Hört zu und rappt mit.**

1. Lieder – Lieder – Lieder … Wir singen Lieder.
2. Texte – Texte – Texte … Wir lesen Texte.
3. Wörter – Wörter – Wörter … Wir lernen Wörter.
4. Sätze – Sätze – Sätze … Wir schreiben Sätze.
5. Gespräche – Gespräche – Gespräche … Wir spielen Gespräche.
6. Spaß – Spaß – Spaß … Wir haben Spaß.
7. Lustig – lustig – lustig … Wir sind lustig!

**b Lest die Fragen und fragt weiter.**

1. Und ihr? Singt ihr auch Lieder?
2. Lest ihr auch Texte?
3. Lernt …

| wir | ihr |
|---|---|
| Wir sing**en**. | Sing**t** ihr auch? |
| Wir les**en**. | Les**t** ihr auch? |
| Wir **sind** lustig. | **Seid** ihr auch …? |
| Wir könn**en** … | Könn**t** ihr auch …? |

## 13 Im Klassenzimmer

1.31 **a Deutsch im Unterricht. Hört und lest die Sätze. Was sagt die Lehrerin? Was sagen die Schüler?**

**b Schreibt ein Plakat für Lehrer und ein Plakat für Schüler. Ergänzt mit neuen Sätzen. Hängt die Plakate auf. Sie helfen beim Sprechen in der Klasse.**

| ## Kannst du das schon? | ## Noch einmal, bitte |
|---|---|
| **Berufe**<br>– der Lehrer, die Lehrerin I der Sportler, die Sportlerin I der Sekretär, die Sekretärin I der Arzt, die Ärztin | **Berufe**<br>Nennt möglichst viele Berufe. |
| **Steckbriefe lesen und schreiben**<br>– **Name:** Kai Hübner I Ich heiße Kai Hübner.<br>**Alter:** 34 Jahre I Ich bin 34 Jahre alt.<br>**Adresse:** Riedgasse 67. I Meine Adresse ist …<br>**Telefonnummer:** 0512 556 89 71 I Meine Telefonnummer ist …<br>**Beruf:** Lehrer I Ich bin Lehrer von Beruf. | **Steckbriefe**<br>Was steht auf eurem Steckbrief? |
| **Verneinung mit *nicht***<br>● Heißt du Anton? ○ Nein, ich heiße nicht Anton.<br>● Kommst du aus Polen? ○ Nein, ich komme nicht aus Polen.<br>● Bist du 17? ○ Ich bin nicht 17. | **Verneinung mit *nicht***<br>Wer bist du nicht?<br>Fragt und antwortet.<br>Anton?<br>Polen?<br>17? |
| **Aktivitäten in der Freizeit**<br>– Fußball spielen I Fahrrad fahren I im Internet surfen I Gitarre spielen I singen I kochen I tanzen I schwimmen<br>– Ich kann schwimmen.<br>– ● Kannst du kochen? ○ Ja, ich kann kochen.<br>– Nadja kann schwimmen. Jannik kann nicht schwimmen.<br>– Sie können singen. Sie können nicht Gitarre spielen. | **Aktivitäten**<br>Was könnt ihr?<br>Was könnt ihr nicht?<br>Was können Nadja und Jannik?<br>*Ich kann …* |
| **ein Interview verstehen und führen**<br>– Wie heißen Sie? I Woher kommen Sie? I Wo wohnen Sie? I Wie alt sind Sie? I Sind Sie verheiratet? I Haben Sie Kinder? I Können Sie Gitarre spielen? | **ein Interview**<br>Stellt Fragen.<br>*Name? Land?*<br>*Adresse? Alter? Verheiratet?*<br>*Kinder? Können …?* |
| **Personalpronomen Plural: *wir, ihr***<br>Wir singen Lieder. Singt ihr auch Lieder?<br>Wir lesen Texte. Lest ihr auch Texte?<br>Wir lernen Wörter. Lernt ihr auch Wörter?<br>Wir schreiben Sätze. Schreibt ihr auch Sätze?<br>Wir spielen Dialoge. Spielt ihr auch Dialoge?<br>Wir haben Spaß. Habt ihr auch Spaß?<br>Wir sind lustig. Seid ihr auch lustig? | ***wir, ihr***<br>Was macht ihr im Deutschunterricht?<br>*… singen, … lesen,*<br>*… lernen, … schreiben,*<br>*… spielen, … haben, … sein* |
| **Deutsch im Unterricht**<br>– Können Sie das bitte wiederholen? I Kannst du mir den Stift geben? I Das verstehe ich nicht. I Wie heißt das auf Deutsch?<br>– Habt ihr die Hausaufgaben? I Hausaufgabe ist Aufgabe 2. | **Deutsch im Unterricht**<br>Was sagt ihr im Unterricht? |
| ● Entschuldigen Sie, bitte. ○ Ja, bitte.<br>● Wir haben ein paar Fragen. ○ Ja, gern.<br>● Danke. ○ Bitte. | Danke.<br>Bitte. |

# Grammatikübersicht

## Aussagesätze

| Position 1 | Position 2 | |
|---|---|---|
| Ich | bin | Paul. |
| Hanna | kommt | aus der Schweiz. |

## W-Fragen und Antworten

| Position 1 | Position 2 | | Antwort |
|---|---|---|---|
| Wie | heißt | du? | Ich heiße Jonas Löscher. |
| Wer | ist | das? | Das ist Anna. |
| Was | ist | das? | Das ist meine Schultasche. |
| Woher | kommen | die Schuhe? | Die Schuhe kommen aus der Türkei. |
| Wo | wohnen | Sie? | Ich wohne in Wien, in Österreich. |

## Ja-/Nein-Fragen und Antworten

| Position 1 | Position 2 | | Antwort |
|---|---|---|---|
| Ist | das | dein Buch? | Ja. (Das ist mein Buch.) |
| Lernst | du | Englisch? | Nein, ich lerne Deutsch. |

## Sätze und W-Fragen mit *können*

| Position 1 | Position 2 | | Satzende |
|---|---|---|---|
| Ich | kann | | schwimmen. |
| Er | kann | nicht | schwimmen. |
| Was | kannst | du | kochen? |

## Verben im Präsens

| | wohnen | singen | kommen | heißen | lernen | haben | sein | können |
|---|---|---|---|---|---|---|---|---|
| ich | wohn**e** | sing**e** | komm**e** | heiß**e** | lern**e** | hab**e** | **bin** | **kann** |
| du | wohn**st** | sing**st** | komm**st** | heiß**t** | lern**st** | ha**st** | **bist** | **kannst** |
| er/ sie | wohn**t** | sing**t** | komm**t** | heiß**t** | lern**t** | ha**t** | **ist** | **kann** |
| wir | wohn**en** | sing**en** | komm**en** | heiß**en** | lern**en** | hab**en** | **sind** | könn**en** |
| ihr | wohn**t** | sing**t** | komm**t** | heiß**t** | lern**t** | hab**t** | **seid** | könn**t** |
| sie | wohn**en** | sing**en** | komm**en** | heiß**en** | lern**en** | hab**en** | **sind** | könn**en** |
| Sie | wohn**en** | sing**en** | komm**en** | heiß**en** | lern**en** | hab**en** | **sind** | könn**en** |

## Artikelwörter im Nominativ:

| *der, das, die* | | *ein, eine* | | *kein, keine* | |
|---|---|---|---|---|---|
| **Singular** | **Plural** | **Singular** | **Plural** | **Singular** | **Plural** |
| **der** Bleistift | **die** Bleistifte | **ein** Bleistift | Bleistifte | **kein** Bleistift | **keine** Bleistifte |
| **das** Heft | **die** Hefte | **ein** Heft | Hefte | **kein** Heft | **keine** Hefte |
| **die** Schere | **die** Scheren | **eine** Schere | Scheren | **keine** Schere | **keine** Scheren |

- Ist das **ein** Hund?
  - Ja, das ist **der** Hund von Pia.
  - Nein, das ist **kein** Hund. Das ist eine Katze.
- Ist das **ein** Deutschbuch?
  - Ja, das ist **das** Deutschbuch von Paul.
  - Nein, das ist **kein** Deutschbuch. Das ist ein Heft.
- Ist das **eine** Lehrerin?
  - Ja, das ist **die** Lehrerin von Paul.
  - Nein, das ist **keine** Lehrerin. Das ist eine Schülerin.
- Sind das Hunde?
  - Ja, das sind **die** Hunde von Frau Klose.
  - Nein, das sind **keine** Hunde. Das sind Katzen.

## Possessivartikel: *mein, meine* *dein, deine*

| | *mein, meine* | *dein, deine* |
|---|---|---|
| **der Hund** (k)ein Hund | **mein** Hund | **dein** Hund |
| **das Fahrrad** (k)ein Fahrrad | **mein** Fahrrad | **dein** Fahrrad |
| **die Gitarre** (k)eine Gitarre | **meine** Gitarre | **deine** Gitarre |
| **die Schuhe** (k)eine Schuhe | **meine** Schuhe | **deine** Schuhe |

## Personalpronomen: *er, es, sie*

| | |
|---|---|
| **der Hund** | Das ist Plato. **Er** ist ein Hund. |
| **die Lehrerin** | Das ist Frau Müller. **Sie** ist meine Lehrerin. |
| **das Buch** | Das ist ein Buch. **Es** ist 100 Jahre alt. |
| **die Schuhe** | Das sind meine Schuhe. **Sie** kommen aus Italien. |

## Präpositionen: *von, aus, in*

| | |
|---|---|
| **von** | Ist das der Computer **von Paul**? Nein, das ist der Computer **von Pia**. |
| **aus (Woher?)** | Ich komme **aus Österreich**. Nicoletta kommt **aus der Schweiz**. |
| **in (Wo?)** | Finn wohnt **in Berlin**, **in Deutschland**. Wohnst du **in der Türkei**? |

# Tipps für die Prüfung

## 1 Prüfungsteil Hören: Gespräche

### a Lest die Aufgabe aus der Prüfung.

Du hörst **zwei** Gespräche.
Zu jedem Gespräch gibt es Aufgaben.
Kreuze an: richtig oder falsch.
Du hörst jedes Gespräch **zweimal**.

Lies die Sätze 1, 2 und 3.

| | | | |
|---|---|---|---|
| 1 | Monika ist dreizehn Jahre alt. | richtig | falsch |
| 2 | Monika geht in die Goethe-Schule. | richtig | falsch |
| 3 | Die Lehrerin von Monika heißt Frau Paulsen. | richtig | falsch |

### b Was sollt ihr in der Prüfung machen? Ergänzt die Lücken. Schreibt ins Heft.

- Wir hören ... Gespräche.
- Zu jedem Gespräch gibt es ...
- Wir kreuzen an: ... oder ...
- Wir hören jedes Gespräch ...mal.

Lest in der Prüfung zuerst die Sätze. Hört dann die Gespräche.

1.32

### c Hört das Gespräch und lest mit.

● Hallo, ich heiße Monika.
○ Ich bin Sabine. Wie alt bist du?
● Ich bin 13 Jahre alt. Und du?
○ Ich bin 14. Gehst du auch in die Goethe-Schule?
● Nein. Ich gehe in die Erich-Kästner-Schule. Meine Lehrerin heißt Frau Paulsen.

### d Lest die Sätze 1, 2 und 3 noch einmal und schreibt die Lösung ins Heft.

1: richtig
2:

### e Hört das Gespräch noch einmal. Kontrolliert eure Antworten.

In der Prüfung kreuzt ihr die Lösung an. Kreuzt zuerst mit Bleistift an. Kreuzt beim zweiten Hören mit Kuli an!

## 2 Prüfungsteil Sprechen: sich vorstellen

**a Lest die Aufgabe aus der Prüfung.**

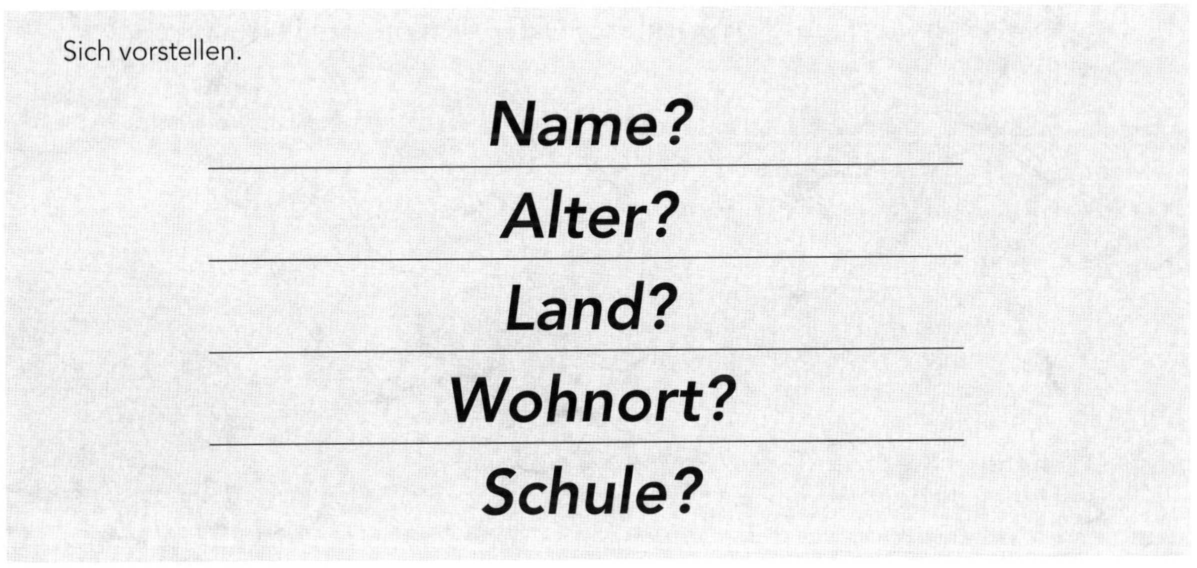

Sich vorstellen.

**Name?**

**Alter?**

**Land?**

**Wohnort?**

**Schule?**

**b Schreibt Stichwörter über euch ins Heft.**

| | |
|---|---|
| *Name:* | *Tina Schmidt* |
| *Alter:* | *12 Jahre* |
| *Land:* | *Deutschland* |
| *Wohnort:* | ... |

**c Wie sagt ihr es? Schreibt Sätze ins Heft.**

| | | |
|---|---|---|
| *Name:* | *Tina Schmidt* | *Ich heiße Tina Schmidt.* |
| *Alter:* | *12 Jahre* | *Ich bin 12 Jahre alt.* |
| *Land:* | *Deutschland* | ... |
| *Wohnort:* | ... | |

**d Lest eure Sätze vor.**

**e Stellt euch jetzt vor. Lest nicht ab!**

*Ich heiße Thomas. Ich bin 13 Jahre alt und ich wohne in Köln, in der Poststraße 15. ...*

# Man spricht Deutsch: in Deutschland, Österreich und der Schweiz

## 3 Hör mal!

1.33

**a Wo ist das? Notiert im Heft.**

*1. Nordsee, 2. ...*

**b Was wisst ihr noch über Deutschland, Österreich oder die Schweiz? Sammelt in der Klasse.**

*In der Schweiz spricht man auch Französisch.*

*Mozart kommt aus Österreich.*

**c Wählt eine Stadt in Deutschland, Österreich oder der Schweiz und sucht Fotos im Internet. Macht eine Collage und präsentiert sie in der Klasse.**

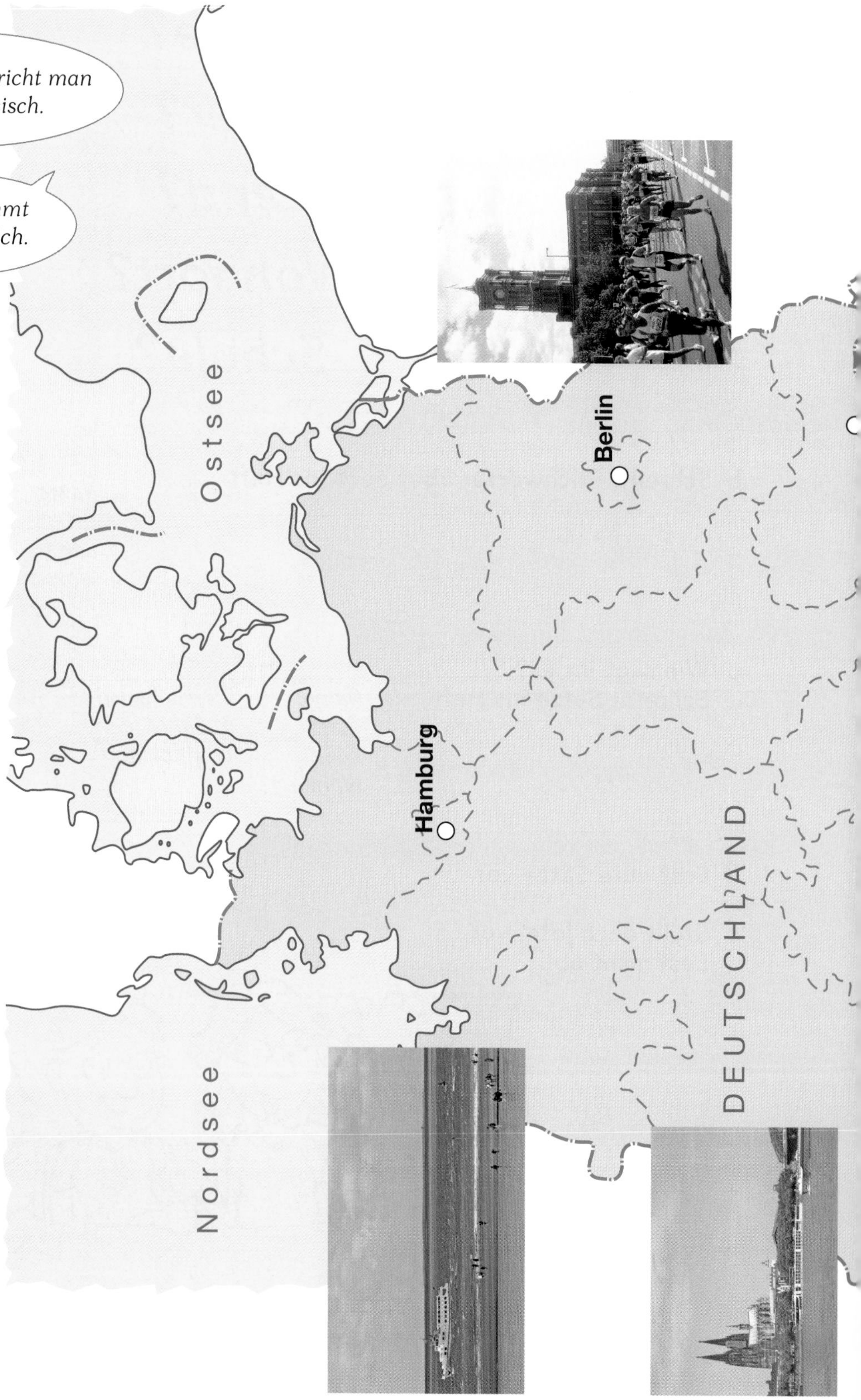

Ostsee
Berlin
Hamburg
Nordsee
DEUTSCHLAND

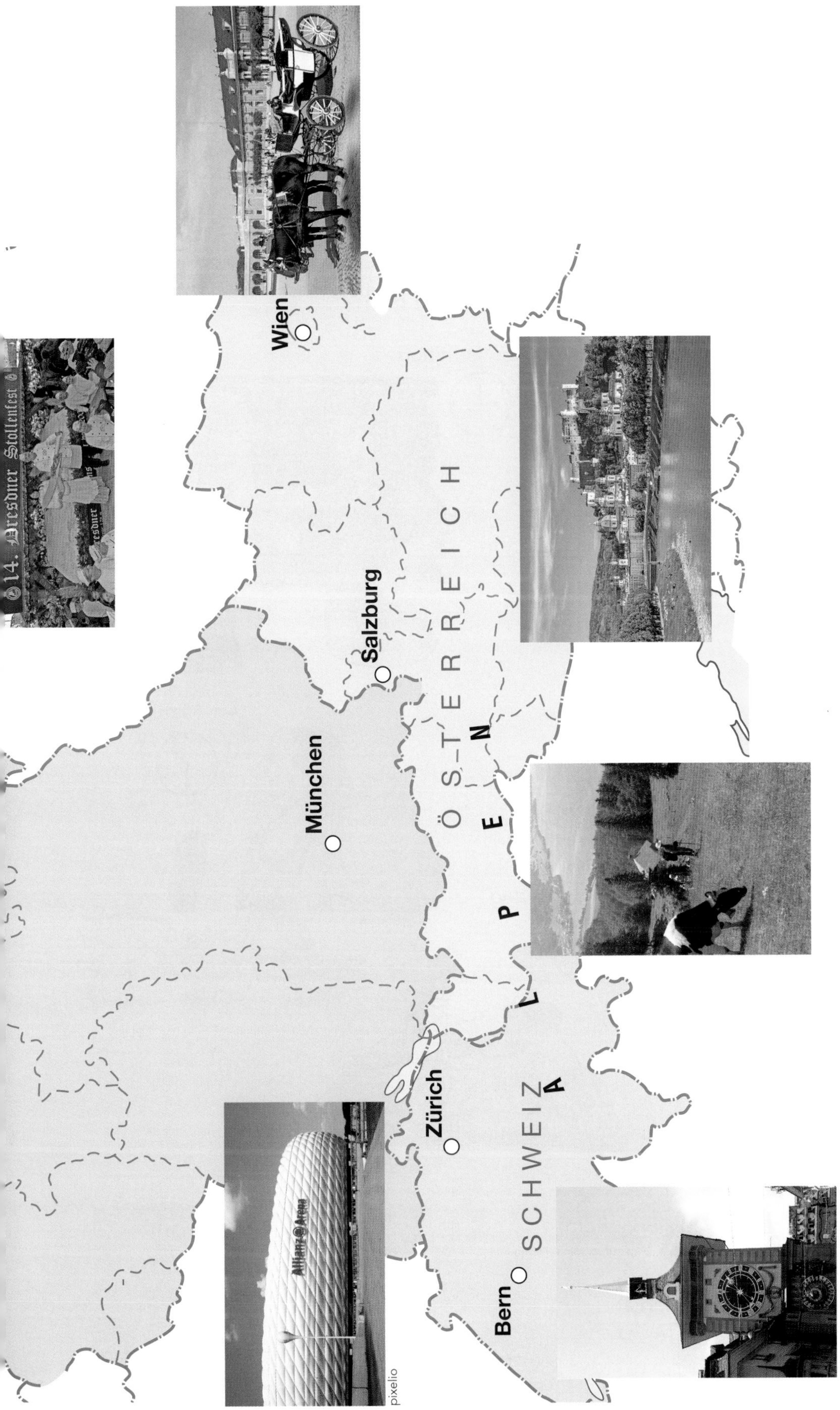

14. Dresdner Stollenfest

Wien

Salzburg

ÖSTERREICH

München

ALPEN

Zürich

SCHWEIZ

Bern

Allianz Arena

pixelio

5

Wir lernen:
Tageszeiten | Uhrzeiten | über den Tagesablauf sprechen | über einen Traumtag/Horrortag schreiben
Wann? – *am Nachmittag* | Wann ? – *um sieben* | Verb auf Position 2 | trennbare Verben | *zuerst, dann, danach*

# Um sieben Uhr ...

## 1 Nadjas Tag

1.34 **a Hört die Gespräche 1 bis 5. Was passt zu welchem Bild?**

*Gespräch 1 passt zu Bild C.*

Am Morgen
A

Am Vormittag
B

Am Abend
E

Am Mittag
C

Am Nachmittag
D

**b Sprecht über die Bilder.**

| | |
|---|---|
| Am Morgen ... | kocht Nadja Spaghetti. |
| Am Vormittag ... | macht Nadja Hausaufgaben. |
| Am Mittag ... | ist Nadja in der Schule. |
| Am Nachmittag ... | frühstückt Nadja. |
| Am Abend ... | telefoniert Nadja. |

*Am Morgen frühstückt Nadja.*

**Wann? – am**

**am** Morgen
**am** Vormittag
**am** Mittag
**am** Nachmittag
**am** Abend

## 2 Wie spät ist es?

1.35

**a Hört und sprecht nach.**

1. Es ist 7 Uhr.

2. Es ist Viertel nach 7.

3. Es ist 20 nach 7.

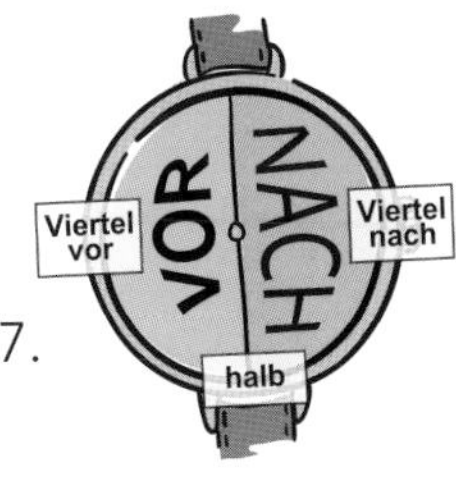


4. Es ist halb 8.

5. Es ist Viertel vor 8.

6. Es ist 10 vor 8.

1.36

**b Hört die Uhrzeiten. Welche Uhr passt?**

A

B

C

D

E

**c Übt zu zweit. Zeichnet fünf Uhren mit unterschiedlichen Uhrzeiten. Fragt und antwortet wie im Beispiel.**

*Wie spät ist es?*

*Es ist 10 vor 3.*

## 3 Timos Tag

**a Wann macht Timo was? Seht die Fotos an und ergänzt die Sätze im Heft.**

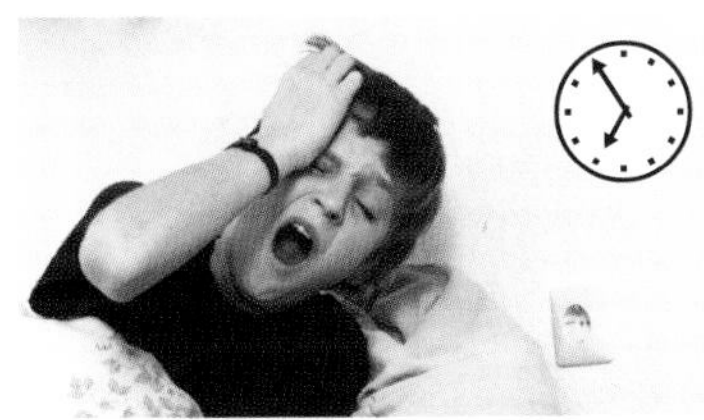
Um *fünf vor sieben* klingelt mein Wecker.

Ich dusche um …

Um … gehe ich in die Schule.

Um … fahre ich Skateboard.

Ich lese um … und dann schlafe ich. Gute Nacht!

**Wann? – um**

**Um** Viertel nach sieben.
**Um** halb acht.

**b Was macht ihr wann? Schreibt Sätze mit Uhrzeiten im Heft und sprecht zu zweit.**

*Ich dusche um …*
*Um … frühstücke ich.*
*Ich gehe um … in die Schule.*

*Ich dusche um halb acht. Und du?*

*Um sieben. Um halb acht frühstücke ich.*

**Verb auf Position 2**

| 1 | 2 | |
|---|---|---|
| Ich | dusche | um sieben. |
| Um sieben Uhr | dusche | ich. |

## 4 Ein Horrortag?!

**a Lest die Nachricht von Nadjas Mutter. Welches Icon passt wo?**

Hallo Nadja! Bitte heute machen:
1. Suppe kochen ☐
2. Hausaufgaben machen ☐
3. Klavier üben ☐
4. Jannik vom Kindergarten abholen ☐
5. im Supermarkt einkaufen ☐
6. Englisch lernen ☐
7. Oma anrufen. ☐

Danke, du bist ein Schatz! ☐
Mama
PS: Am Samstag spät aufstehen! ☐

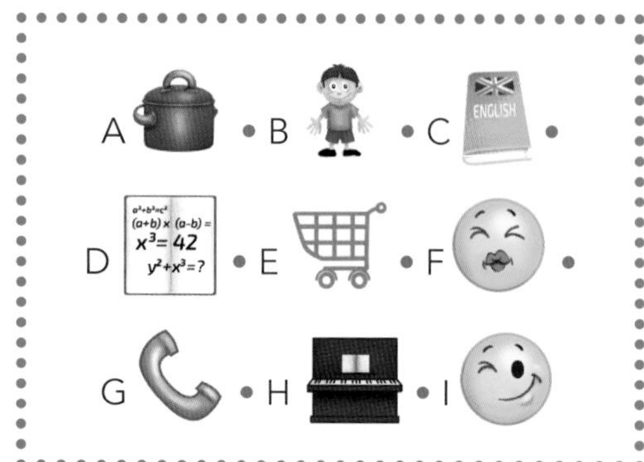
A
B
C
ENGLISH
D
$a^2+b^2=c^2$
$(a+b) \times (a-b) =$
$x^3 = 42$
$y^2+x^3=?$
E
F
G
H
I

**b Lest die Sätze 1 bis 7. Hört das Telefongespräch von Pia und Nadja. Welche Sätze sind falsch? 4a hilft.**

1.37

1. Am Mittag koche ich eine Suppe.
2. Dann mache ich Hausaufgaben.
3. Am Abend übe ich Klavier.
4. Um Viertel nach vier hole ich Jannik ab.
5. Am Nachmittag kaufe ich im Supermarkt ein. Jannik nehme ich mit.
6. Am Abend rufe ich Oma an.
7. Um halb acht lerne ich mit Papa Englisch.

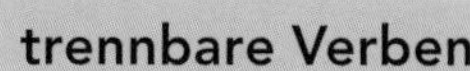

Satz 1 stimmt!
Aber Satz …

**trennbare Verben**

anrufen → Pia ruft Nadja an.
abholen → Ich hole Jannik ab.
einkaufen → Ich kaufe ein.

## 5 Was erzählt Pia?

**a Lest und sucht die Fehler. Hört dann 4b zur Kontrolle.**

Gehst du heute zu Nadja?
Nö, Nadja hat keine Zeit.
Zuerst übt sie Suppe, dann kocht sie
Hausaufgaben und macht Klavier.
Um Viertel nach drei kauft sie im Kindergarten ein.
Danach holt sie Jannik im Supermarkt ab.
Und um sechs ruft sie Papa an. Ach so,
und danach lernt sie mit Oma Englisch.
Sie hat echt keine Zeit!

**b Was ist falsch? Schreibt die Sätze richtig ins Heft.**

*Nadja hat keine Zeit. Zuerst kocht sie Suppe, dann macht sie …*
*Um Viertel nach drei holt sie …*

**zuerst, …**

Zuerst …
Dann …
Danach … ↓

## 6 Was macht ihr am Nachmittag?

**Wählt fünf Verben und übt zu zweit.**

kochen • Sport machen • einkaufen • Freunde anrufen • lernen • Klavier üben • singen • im Internet surfen • Fahrrad fahren • eine Freundin / einen Freund abholen • …

*Ich lerne Deutsch.*

*Ich kaufe im Supermarkt ein.*

## 7 Wo ist der Akzent?

1.38

**a Hört und schreibt mit.**

einkaufen → Ich kaufe ein.

einkaufen, anrufen, …
→ Akzent auf 1. Silbe!

**b Hört noch einmal, markiert wie im Beispiel. Sprecht dann die Sätze.**

## 8 Interviews in der Klasse: Mein Tag

**a Wann machst du was? Schreibt Fragen wie im Beispiel.**

frühstücken • anrufen • duschen • abholen • einkaufen • aufstehen • schwimmen • Hausaufgaben machen • in die Schule gehen • kochen • üben • Fußball spielen • tanzen • Karten spielen • lernen • …

Wann stehst du auf?
Wann gehst du in die Schule?
Was machst du am Nachmittag?

**b Sprecht zu zweit. Notiert die Antworten.**

Wann stehst du auf?
Was machst du am Nachmittag?
Ich stehe um 7 Uhr auf.

**c Stellt euren Partner / eure Partnerin in der Klasse vor.**

*Max steht um 7 Uhr auf. Um 8 Uhr geht er in die Schule. Am Nachmittag …*

## 9 Die Minute zählt

**a Seht euch die Uhrzeiten im Kasten an. Wie spricht man die Uhrzeiten inoffiziell? Aufgabe 2 hilft.**

*Viertel nach acht.*

| offizielle Uhrzeiten | |
|---|---|
| 8:15 | acht Uhr fünfzehn |
| 20:15 | zwanzig Uhr fünfzehn |
| 13:40 | dreizehn Uhr vierzig |
| 00:05 | null Uhr fünf |

**b Welche Uhrzeiten sind gleich? Ordnet zu.**

| | |
|---|---|
| 1. Viertel nach neun | A neun Uhr zwanzig |
| 2. halb neun | B acht Uhr zweiundfünfzig |
| 3. acht vor neun | C einundzwanzig Uhr fünf |
| 4. zwanzig nach neun | D neun Uhr fünfzehn |
| 5. fünf nach neun | E zwanzig Uhr dreißig |

1.39

**c Hört die Gespräche und seht die Fotos an. Wie spät ist es? Notiert im Heft.**

A

B

C

**d Arbeitet zu dritt. Person A nennt eine Uhrzeit offiziell, Person B wiederholt die Uhrzeit inoffiziell, C kontrolliert. Tauscht dann die Rollen.**

*Fünfzehn Uhr zwanzig.* *Zwanzig nach drei.* *Das stimmt.*

**e Wie sagt man die Uhrzeit in euren Sprachen? Vergleicht mit dem Deutschen.**

1. Es ist zehn nach sieben.
2. Es ist halb acht.
3. Es ist Viertel vor neun.
4. Es ist vierzehn Uhr zwölf.

## 10 Ein wunderbarer Tag

**Lest den Text von Timo. Warum ist sein Tag wunderbar? Sprecht in der Klasse.**

**Ein wunderbarer Tag**
Am Morgen klingelt der Wecker nicht und ich gehe nicht in die Schule. Um 11 Uhr frühstücke ich Pizza! Und danach höre ich ganz laut Musik. Am Nachmittag telefoniere ich mit Jennifer Lawrence. Ich mache keine Hausaufgaben. Dann spiele ich drei Stunden Fußball mit Mario Götze. Und am Abend machen meine Freunde und ich eine Party.
Das ist ein super Tag!

## 11 Projekt: **Traumtag oder Horrortag?**

Arbeitet zu zweit. Überlegt: Was macht ihr an einem Traumtag? Was macht ihr an einem Horrortag? ● Macht je drei Fotos von typischen Aktivitäten für einen Traumtag und für einen Horrortag. ● Mischt die Fotos und zeigt sie in der Klasse. Die anderen raten: Ist das der Traumtag oder der Horrortag? ● Schreibt dann Texte wie in 10 über den Traumtag oder über den Horrortag. Jede/r schreibt einen Text.

## Kannst du das schon?

### Tageszeiten
- am Morgen | am Vormittag | am Mittag | am Nachmittag | am Abend

### Uhrzeiten
- ● Wie spät ist es? ○ Es ist acht Uhr.
- Wir schreiben:

| Wir schreiben: | inoffiziell: | offiziell: |
|---|---|---|
| 7:00/19:00 Uhr | 7 Uhr | 7/19 Uhr |
| 7:15/19:15 Uhr | Viertel nach 7 | 7 Uhr 15/19 Uhr 15 |
| 7:30/19:30 Uhr | halb 8 | 7 Uhr 30/19 Uhr 30 |
| 7:45/19:45 Uhr | Viertel vor 8 | 7 Uhr 45/19 Uhr 45 |
| 7:50/19:50 Uhr | zehn vor 8 | 7 Uhr 50/19 Uhr 50 |
| 8:05/20:05 Uhr | fünf nach 8 | 8 Uhr 5/20 Uhr 5 |

### Verb auf Position 2

| 1 | 2 | | |
|---|---|---|---|
| Ich | dusche | am Morgen. | |
| Am Morgen | dusche | ich. | |
| Ich | gehe | um halb acht | in die Schule. |
| Um halb acht | gehe | ich | in die Schule. |

### über den Tagesablauf sprechen
- ● Ich frühstücke um halb acht. Und du?
  ○ Um sieben. Um halb acht gehe ich in die Schule.
- Ich dusche um sieben. | Um fünf mache ich Hausaufgaben.

### trennbare Verben
- abholen | einkaufen | anrufen | aufstehen | mitnehmen
- Am Nachmittag kauft Nadja ein.
  Nadja ruft Oma an.

### *zuerst, dann, danach*
Zuerst klingelt der Wecker. Dann stehe ich auf und frühstücke. Danach gehe ich in die Schule.

### einen Traumtag beschreiben
- Am Morgen klingelt der Wecker nicht. Ich gehe nicht in die Schule. Um 11 Uhr frühstücke ich. Ich spiele drei Stunden Fußball. Am Abend mache ich eine Party.

Gute Nacht!
Du bist ein Schatz!

## Noch einmal, bitte

### Tageszeiten
Nennt drei Tageszeiten.
*am …*

### Uhrzeiten
Wie spät ist es?
Nennt die Uhrzeiten offiziell und inoffiziell.

### Verb auf Position 2
Ergänzt die Sätze.
*Am Morgen …*
*Ich …*
*Um halb acht …*
*Ich …*

### Tagesablauf
Wann macht ihr das?
*duschen?*
*in die Schule gehen?*
*Sport machen?*
*schlafen?*

### trennbare Verben
Schreibt den Satz richtig.
*am Mittag / abholen / Nadja / Jannik.*

### *zuerst, dann, danach*
Macht drei Sätze mit *zuerst – dann – danach.*

### Traumtag
Sagt drei Sätze zu eurem Traumtag.

*Gute Nacht!*

# 6

**Wir lernen:**
Wochentage | Schulfächer | über den Stundenplan sprechen | Aktivitäten am Nachmittag | die Schule vorstellen
Wann? – *am Montag* | Verb *haben* | *sein* + Adjektiv | *gern* | Verben mit Vokalwechsel | *unser* und *euer*

# Mein Lieblingsfach ist ...

## 1 Der Wochentage-Rap

1.40 **Hört und lest den Rap mehrmals. Könnt ihr alle zusammen im Rhythmus sprechen?**

Am Montag habe ich frei! Genau bis um halb drei!
Dann muss ich spazieren gehen, Pia möchte Paul sehen …
Am Dienstag habe ich frei. Genau bis um halb drei!
Dann muss ich spazieren gehen, Pia möchte Paul sehen …
Am Mittwoch habe ich frei! Leider nur bis zwei.
Pia hat heute früher aus – und ich muss raus!
Am Donnerstag habe ich frei! Wieder bis um zwei.
Pia hat heute früher aus – und ich muss heute schon wieder raus!
Am Freitag habe ich frei! Pia kommt um eins nach Haus
und meine Freizeit ist dann aus …
Am Samstag habe ich frei! Den ganzen Tag nur frei!
Pia, die macht heute Sport – doch ich bin nicht dabei!
Am Sonntag habe ich frei! Den ganzen Tag nur frei!
Nadja kommt, holt Pia ab – doch ich bin nicht dabei!

## 2 Die Wochentage

**Schreibt die richtige Reihenfolge ins Heft. Wer lernt die Wochentage am schnellsten?**

**Wann? – am**

**am** Montag, **am** Dienstag,
**am** Mittwoch, …
**am** Samstag/Sonntag =
**am** Wochenende

**Sa**mstag
**Mo**ntag
**Mi**ttwoch
**So**nntag
**Di**enstag
**Fr**eitag
**Do**nnerstag

*Montag, ...*

## 3 Der Stundenplan von Klasse 7b

**a Lest den Stundenplan. Welche Schulfächer versteht ihr? Übersetzt in eure Sprachen.**

| Uhrzeit | Montag | Raum | Dienstag | Raum | Mittwoch | Raum | Donnerstag | Raum | Freitag | Raum |
|---|---|---|---|---|---|---|---|---|---|---|
| 8.00-8.45 | Mathematik | | Englisch | | Deutsch | | Englisch | | Biologie | |
| 8.45-9.30 | Physik/Chemie | | Deutsch | | Deutsch | | Englisch | | Sport | |
| 9.30-10.15 | Biologie | | Kunst/Musik | | Mathematik | | Mathematik | | Sport | |
| 10.45-11.30 | Englisch | | Kunst/Musik | | Französisch/Latein | | Geografie | | Mathematik | |
| 11.30-12.15 | Geografie | | Religion/Ethik | | Französisch/Latein | | Französisch/Latein | | Deutsch | |
| 12.15-13.00 | Informatik1 | | Geschichte | | Physik/Chemie | | Geschichte | | Informatik2 | |
| | | | | | | | | | | |

1.41

**b Welche Schulfächer hört ihr? Sammelt in der Klasse.**

## 4 Unsere Schulfächer

**Übt zu zweit: Der Stundenplan von Klasse 7b und euer Stundenplan.**

- ● Wann hat die 7b Mathematik?
- ○ Mathe hat die Klasse am Montag, am Mittwoch, am …
  Wann haben wir Mathe?
- ● Wir haben am …
- ○ Hat die 7b Englisch?
- ● Ja! Am Montag, am …

| haben | |
|---|---|
| ich hab**e** | wir hab**en** |
| du ha**st** | ihr hab**t** |
| er/es/sie ha**t** | sie/Sie hab**en** |

## 5 Mathe ist doof!

1.42

**a Hört und lest das Gespräch zu zweit. Schreibt alle Adjektive ins Heft.**

- ● Mathe ist doof!
- ○ Nein, Mathe ist super! Latein ist langweilig!
- △ Quatsch, Latein ist nicht langweilig! Latein ist wichtig!
- ● Und Informatik?
- ○ Informatik ist interessant, aber schwer.
- ● Und Kunst?
- △ Kunst ist schön!

| + | – |
|---|---|
| interessant, leicht, schön, super, wichtig | langweilig, doof blöd, schwer |

**b Und eure Fächer? Was sagt ihr?**

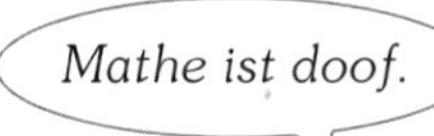


*Nein, Mathe ist nicht doof!*

**Adjektive**

Mathe ist **super**.
Latein ist **wichtig**.
Kunst und Französisch sind **schön**.

## 6 Fächer-Hitliste

**Macht eine Umfrage in der Klasse. Wie ist eure Hitliste?**

*Was ist dein Lieblingsfach?*

*Mein Lieblingsfach ist Deutsch.*

Unsere Lieblingsfächer:
Platz 1: Sport
Platz 2: …

## 7 Schule am Nachmittag

**Wer geht in welche AG? Wer findet keine AG?**

**Kamera sucht Stars**

Wir suchen junge Talente! Mach bei unserem neuen Filmprojekt mit. Komm am Dienstag um 16 Uhr in Raum 201.

Die Video-AG

**GESUND ESSEN!!!**

Du isst auch gern gesund? Dann komm in die Koch-AG! Donnerstag um 14 Uhr in der Kantine mit Herrn König.

**Magst du Zirkus? Bist du sportlich?**

Die Akrobaten und Clowns von morgen kommen jeden Mittwoch um 15.00 Uhr in die Sporthalle.

Die Zirkus-AG

**Lust auf Bewegung?**

Fußball – Volleyball – Skaten – Laufen
Die Sport-AG triffst du jeden Montag und Freitag von 14.00 bis 16.00 Uhr.

1

2

1. Laura kann Einrad fahren. → Zirkus-AG
2. Florian trifft gern Freunde. → keine AG
3. Jana macht gern Filme. → …
4. Daniel läuft gern. → …

5

6

5. Corinna kocht und isst gern. → …
6. Moritz liest gern. → …

## 8 Ich treffe gern Freunde.

**Was macht ihr gern? Erzählt in der Klasse.**

*Ich laufe gern.*

*Ich auch, und ich fahre gern Skateboard.*

*Ich treffe gern Freunde.*

**gern**

Corinna kocht **gern**.
Ich kaufe **gern** ein.
Ich spiele **gern** Ball.
Was machst du **gern**?

## 9 Siehst du gern Filme?

**a Sammelt Fragen. Jeder schreibt dann drei Fragen auf eine Karte. Geht in der Klasse herum und fragt.**

*Isst du gern Pizza?*
*Triffst du am Samstag gern Freunde?*
*Fährst du gern Fahrrad?*

| Verben mit Vokalwechsel | | | | | |
|---|---|---|---|---|---|
| ich | laufe | fahre | treffe | lese | esse |
| du | **läu**fst | **fäh**rst | **tri**ffst | **lie**st | **i**sst |
| er/es/sie | **läu**ft | **fäh**rt | **tri**fft | **lie**st | **i**sst |
| wir | laufen | fahren | treffen | lesen | essen |
| ihr | lauft | fahrt | trefft | lest | esst |
| sie/Sie | laufen | fahren | treffen | lesen | essen |

**b Erzählt in der Klasse.**

Mona fährt gern Fahrrad. Sie trifft am Samstag gern Freunde. Sie isst nicht gern Pizza …

## 10 Nadja und Robbie

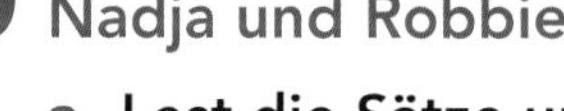

**a Lest die Sätze und dann die Geschichte von Nadja und Robbie. Nur ein Satz ist richtig!**

1. Nadja und Robbie gehen in die Koch-AG.
2. Robbie isst gern gesund.
3. Nadja läuft am Freitag.
4. Nadja trifft Robbie am Mittwoch und am Freitag.
5. Nadja und Robbie essen zusammen Hamburger.

Nadja isst gern gesund und sie kocht gern. Am Donnerstag geht sie in die Koch-AG. Robbie kommt nicht mit. Er trifft gern Freunde. Zweimal pro Woche geht er auch in AGs: Am Mittwoch singt er und am Freitag läuft er.
Nadja schreibt eine Nachricht: „Du hast nie Zeit für mich!" Robbie liest die Nachricht von Nadja. Er schreibt: „Quatsch! Ich habe Zeit! Donnerstag um zwei?"
Jetzt geht Nadja nicht mehr in die Koch-AG. Jeden Donnerstag um zwei trifft sie Robbie und sie essen Hamburger.

**b Du bist Nadja und sprichst mit Robbie. Schreibt den ersten Absatz aus Aufgabe 10a neu.**

*Ich esse gern gesund und ich …* *Du kommst nicht mit. Du …*

## 11 Lange und kurze Vokale

1.43

**a Hört die Wörter und sprecht nach. Übt dann zu zweit.**

| **lang** | **kurz** |
|---|---|
| 1. a – haben, fahren | 6. a – machen, tanzen |
| 2. e – lesen, nehmen | 7. e – treffen, essen |
| 3. i – spielen, buchstabieren | 8. i – schwimmen, stimmen |
| 4. o – holen, wohnen | 9. o – kochen, kommen |
| 5. u – duschen, suchen | 10. u – muss, Kunst |

1.44

**b Hört die Sätze und sprecht nach.**

1. Oma spielt am Montag Fußball mit Emil und Maja.
2. Ich muss am Samstag Suppe kochen.

## 12 Unsere Schule – eure Schule

### a Svenja und Oli erzählen. Zu welchen Sätzen gibt es ein Bild?

A

B

C

D

1. Hallo, wir sind Svenja und Oli! Das ist unsere Schule. Sie ist neu. Wir gehen gern in unsere Schule. Und wie ist eure Schule? Ist sie alt oder neu?
2. Unser Klassenzimmer ist klein (schnüff ☹), aber schön (☺). Wie ist euer Klassenzimmer?
3. Unsere Lehrer sind okay. Und eure Lehrer? Sind sie nett oder doof, interessant oder langweilig?
4. Unser Sportplatz ist groß. Und euer Sportplatz? Ist er groß oder klein?
5. Unser Kunstlehrer ist super! Ach ja, unsere Lateinlehrerin ist wichtig: Sie ist die Schuldirektorin.
6. Und Herr Maier ist auch wichtig! Er ist unser Hausmeister. Er ist total nett und alle haben ihn gern …

### b Lest den Kasten und sucht *unser/euer* in den Sätzen aus 12a. Schreibt dann eine E-Mail an Svenja und Oli.

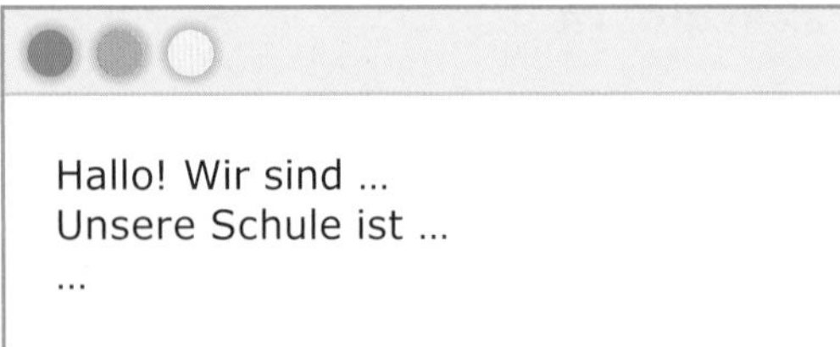
Hallo! Wir sind ...
Unsere Schule ist ...
...

| unser, euer | |
|---|---|
| der Sportplatz | **unser/euer** Sportplatz |
| das Klassenzimmer | **unser/euer** Klassenzimmer |
| die Schule | **unsere/eure** Schule |
| die Lehrer (Plural) | **unsere/eure** Lehrer |

## 13 Projekt: Unsere Schule vorstellen

### Präsentiert eure Schule.

Ihr bekommt Besuch aus D, A oder CH und stellt eure Schule vor. ● Jede Gruppe präsentiert einen Teil der Schule (Klassenzimmer, Sporthalle, Kantine, Lehrer …).
● Macht Fotos oder einen Film. Schreibt oder sprecht dazu.

*Das ist unsere Kantine. Sie ist klein, aber das Essen ist lecker. Wir sind gern hier.*

6

## Kannst du das schon?

**Wochentage**
– Montag | Dienstag | Mittwoch | Donnerstag | Freitag | Samstag | Sonntag

**Schulfächer**
– Mathematik | Physik | Chemie | Biologie
– Englisch | Deutsch | Französisch | Latein
– Geografie | Geschichte | Religion | Ethik
– Kunst | Musik
– Informatik | Sport

– Arbeitsgruppe (AG)
Video-AG, Koch-AG, Zirkus-AG, Sport-AG

**über den Stundenplan sprechen**
– ● Wann haben wir Mathe? ○ Wir haben am Montag Mathe.
– ● Hast du Musik oder Kunst? ○ Ich habe Kunst.
– ● Wann hast du Ethik? ○ Am Mittwoch.
– ● Wann hast du frei? ○ Am Wochenende habe ich frei.

***sein* + Adjektiv**
– interessant, leicht, schön, super, wichtig, nett
– langweilig, schwer, doof, blöd
– neu – alt | klein – groß

– ● Bio ist doof. ○ Nein, Bio ist super.
– Französisch und Geschichte sind schön.

**Aktivitäten am Nachmittag**
– Rad fahren | Freunde treffen | Filme machen | laufen | kochen | essen | lesen
– Laura fährt gern Rad und sie liest gern.
– Daniel läuft gern.
– Florian trifft gern Freunde.
– Corinna kocht und isst gern.

**die Schule vorstellen**
– Unser Klassenzimmer ist klein. Wie ist euer Klassenzimmer?
– Unsere Lehrer sind okay. Wie sind eure Lehrer?
– Unser Sportplatz ist groß. Und euer Sportplatz?

Du hast nie Zeit für mich!
Er ist total nett.

## Noch einmal, bitte

**Wochentage**
Nennt die Wochentage.

**Schulfächer**
Welche Schulfächer gibt es auf eurem Stundenplan?

**Stundenplan**
Stellt Fragen zum Stundenplan.
*Wann haben wir …?*
*Hast du …?*

***sein* + Adjektiv**
Wie findet ihr die Fächer?
*Biologie ist …*
*Mathe und Physik sind …*
*Musik …*
*Sport …*

**Aktivitäten**
Was macht ihr gern? Sprecht.
*Ich … gern.*
*Er/Sie … gern.*

**die Schule vorstellen**
Beschreibt eure Schule und stellt Fragen zur Schule von anderen.

*Du hast nie Zeit für mich!*

# 7

**Wir lernen:**
sagen, was man will und muss | sich verabreden | über Hobbys sprechen | Aufforderungen verstehen und formulieren
Modalverben *wollen* und *müssen* | du-Imperativ

# Kommst du mit?

## 1 Wer macht was?

### a Was passt zu welchem Bild?

A Hausaufgaben machen B ins Kino gehen C fernsehen
D trainieren E das Auto waschen F in den Alpen wandern

1.45

### b Hört die Gespräche. Wer will was machen? Wer muss was machen? Ergänzt die Sätze mit den Wörtern aus Aufgabe 1a.

| wollen | müssen |
|---|---|
| 1. Paul will ... | 4. Der Opa von Paul muss ... |
| 2. Frau Müller will ... | 5. Nadja muss ... |
| 3. Jannik will ... | 6. Kolja muss ... |

## 2 Ich muss Hausaufgaben machen.

1.45

**a Was passt zusammen? Hört noch einmal die Gespräche aus Aufgabe 1b. Lest die Sätze richtig vor.**

1. Paul will mit Pia ins Kino gehen, aber
2. Jannik will fernsehen, aber
3. Robbie will Nadja treffen, aber
4. Nadja muss ins Schwimmbad gehen, aber
5. Kolja will mit Robbie Fußball spielen, aber

A er muss schlafen gehen.
B sie muss mit Plato spazieren gehen.
C sie hat keine Lust.
D er muss Hausaufgaben machen.
E sie muss trainieren.

**b Was sagen Paul, Pia und die anderen?**

1. Paul sagt: „Ich ins Kino!"
2. Pia sagt: „Ich mit Plato spazieren gehen."
3. Frau Müller sagt: „Ich in den Alpen wandern."
4. Jannik sagt: „Ich fernsehen."
5. Opa sagt: „Ich das Auto waschen."
6. Nadja sagt: „Ich ins Schwimmbad gehen."

| wollen | müssen |
|---|---|
| ich **will** | ich **muss** |
| er **will** | er **muss** |
| sie **will** | sie **muss** |

## 3 Ich muss? Ich will!

**Ergänzt die Lücken. Schreibt den Text ins Heft.**

1. Am Morgen … ich um 7 Uhr aufstehen.
2. Ich … aber lange schlafen.
3. Mein Vater sagt, ich … in die Schule gehen.
4. Aber ich … nicht!!!
5. Ich … den ganzen Tag Gitarre spielen.
6. Aber ich … Hausaufgaben machen.
7. Meine Mutter sagt, ich … mein Zimmer aufräumen.
8. Ich … jetzt meine Freunde treffen, aber ich … die Übung machen!!! Aber jetzt bin ich fertig!!!

## 4 Er und sie – Was ist Liebe?

**Lest und schreibt das Gedicht weiter.**

Ist das Liebe?
Er will Fußball spielen.
Sie will ein Buch lesen.
Er will ins Kino gehen.
Sie will fernsehen.
Sie muss trainieren.
Er will Eis essen.
Sie muss …


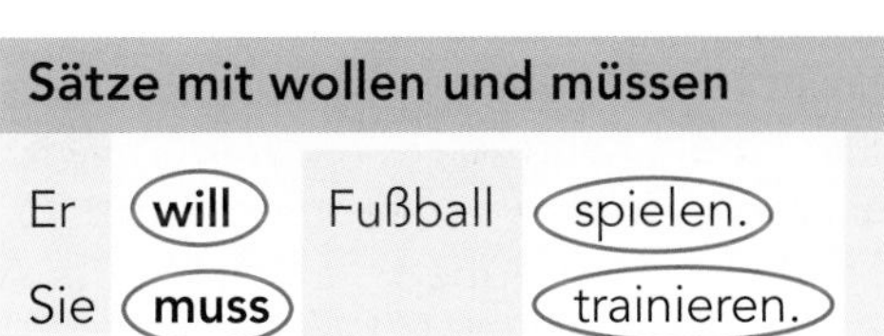

| Sätze mit wollen und müssen | | | |
|---|---|---|---|
| Er | will | Fußball | spielen. |
| Sie | muss | | trainieren. |

## 5 Kommst du mit?

1.46

**a Hört und lest mit. Übt dann die Gespräche.**

A
- ● Kommst du heute Abend mit ins Konzert?
- ○ Wer spielt?
- ● Robbie und seine Band.
- ○ Toll, wann fängt das Konzert an?
- ● Um 20 Uhr.
- ○ Super. Ich komme mit.

B
- ● Kommst du heute Abend mit ins Konzert?
- ○ Wer spielt?
- ● Robbie und seine Band.
- ○ Nein, ich habe keine Lust.
- ● Warum kommst du denn nicht?
- ○ Die Musik ist langweilig.

**b Deckt Aufgabe 5a zu. Spielt die Gespräche.**

A
- ● Konzert?
- ○ Wer?
- ● Band.
- ○ Wann?
- ● 20 Uhr.
- ○ Super!

B
- ● Konzert?
- ○ Wer?
- ● Band.
- ○ Nein.
- ● Warum?
- ○ Langweilig.

## 6 Verabredungen

**Übt zu zweit. Wählt Fragen und Antworten aus.**
**Schreibt Mini-Gespräche. Lest sie dann in der Klasse vor.**

?

Hast du am Mittwoch Zeit? • Willst du in die Disco gehen? • Was machst du am Samstag um fünf? • Willst du heute zu mir kommen? • Ich gehe ins Kino. Kommst du mit?

| ☺ | 😐 | ☹ |
|---|---|---|
| Ja, toll! • Ja, gern! Wann? • Klar, um wie viel Uhr? • Oh ja, super! | Vielleicht. • Wann? • Ich weiß nicht. | Nein, keine Zeit. • Das geht nicht, schade. • Tut mir leid, heute nicht. • Nein, ich habe keine Lust. • Ich kann leider nicht kommen. |

## 7 Ich habe leider keine Zeit.

**Du willst/kannst nicht mitkommen. Was sagst du?**

*Kommst du mit?*

*Ich habe leider keine Zeit. Ich will …*

1. spielen | Ich | Tennis | will | .
2. Klavier | muss | üben | . | Ich
3. muss | mein Fahrrad | . | reparieren | Ich
4. Ich | mein Zimmer | aufräumen | muss | .
5. kochen | will | Spaghetti | . | Ich | heute Abend
6. im Internet | will | Ich | . | surfen

## 8 Kommst du morgen mit ins Kino?

**Geht in der Klasse herum. Spielt Gespräche mit verschiedenen Partnern.**
**Die Kästen aus Aufgabe 6 helfen.**

## 9 Hobbys

**Hobby-Pantomime. Spielt die Hobbys. Die anderen raten.**

Freunde besuchen • reiten • Flugzeuge basteln • Computerspiele spielen • fernsehen • im Schulcafé arbeiten • Klavier spielen • Fahrrad fahren • Sport machen • Aufkleber sammeln

## 10 Die Hobby-Statistik

**a Habt ihr ein Hobby? Sprecht in der Klasse.**

*Was sind deine Hobbys?*

*Mein Hobby ist …*

*Ich fahre gern Fahrrad.*

*Spielst du gern Tennis?*

**b Macht eine Hobby-Statistik in der Klasse.**

Musik hören ||||| ||

…

## 11 Projekt: Hobbys bei uns im Ort

**Macht ein Infoblatt für euren Ort.**

Ein Mädchen und ein Junge sind neu in eurer Klasse. Sie wissen nicht, was sie in ihrer Freizeit machen können. ● Arbeitet in Gruppen: Welche Hobbys kann man in eurem Ort machen? Wo?

| SCHULE | SPORTVEREIN | MUSIKSCHULE |
|---|---|---|
| **Volleyball spielen:** Donnerstag, 16 Uhr Sporthalle | *Handball* | Gitarre |
| **Schulcafé** Montag, 15 Uhr | *Basketball* | Klavier |
| **Schulband** Freitag, 18 Uhr | *Fußball* | … |

## 12 Meine Hobbys

**a Lest die Steckbriefe von Jonas, Anna und Finn. Welche Wörter gibt es auch in euren Sprachen?**

| Deutsch | Englisch | Italienisch |
|---|---|---|
| Sport | sports | sport |
| Tennis | tennis | tennis |
| Sportler | … | sportivo |

**Jonas**
Ich mache viel Sport: Ich spiele Tennis und ich fahre Fahrrad. Ich sammle Aufkleber von Sportlern. Am Wochenende besuche ich meine Freunde und wir gehen in die Disco.

**Anna**
Ich spiele Gitarre in einer Band und wir üben jedes Wochenende. Wir wollen jetzt eine CD machen. Ich singe auch. Ich sehe gern fern und ich gehe auch gern ins Kino. Und ich bin in der Theater-AG – Theater spielen macht Spaß.

**Finn**
Jeden Montag arbeite ich drei Stunden im Schulcafé. Ich mache Tee und Kakao, aber ich kann auch Schokoladenkuchen machen. Ich spiele gern Computerspiele. Und ich spiele Fußball.

**b Lest die Steckbriefe noch einmal. Was macht ihr auch? Was macht ihr nicht? Sprecht in der Klasse.**

**c Schreib einen Steckbrief über dich und deine Hobbys.**

## 13 Beeil dich!

**a Hört die Nachrichten für Paul. Wie viele Personen rufen an?**

1.47

**b Wer sagt was? Hört noch einmal und ordnet zu.**

1. Mama
2. Pia
3. Robbie
4. Kolja

A Geh ans Telefon. Fahr endlich los!
B Komm mit.
C Mach das Essen warm. Räum dein Zimmer auf!
D Kauf ein.
E Komm sofort! Beeil dich!
F Ruf Opa an!

**c Was notiert Paul? Schreibt einen Notizzettel.**

*Mama: Essen warm machen, Zimmer aufräumen, ...*

**d Was sagen Eltern? Ergänzt die richtigen Formen an der Tafel und im Heft.**

1. *einkaufen → Kauf ein!*
2. *Hausaufgaben machen →*
3. *aufräumen →*
4. *aufstehen →*
5. *Jannik abholen →*
6. *Mathe lernen →*
7. *das Fenster aufmachen →*

| du-Imperativ | |
|---|---|
| machen → | **mach!** |
| gehen → | **geh!** |
| kommen → | **komm!** |
| mit kommen → | **komm mit!** |
| an rufen → | **ruf an!** |

## 14 Ruf mich an, komm mit, ...

**a Welche Sätze klingen freundlich?**

1.48

1. A Bitte mach die Hausaufgaben!
   B Mach die Hausaufgaben!
2. A Kauf ein!
   B Kauf bitte ein!
3. A Komm mit!
   B Komm mit, bitte!
4. A Steh endlich auf!
   B Steh endlich auf, bitte!
5. A Ruf sofort Opa an!
   B Bitte ruf sofort Opa an!

**b Hört noch einmal und achtet auf die Melodie. Sprecht die Sätze nach.**

**c Schreibt die Sätze aus Aufgabe 13b mit „bitte" und sprecht sie laut.**

## Kannst du das schon?

**sagen, was man will und muss**
- Paul will ins Kino gehen.
  Pia muss mit Plato spazieren gehen.
- Ich will meine Freunde treffen.
  Ich muss die Übung machen.

**sich verabreden**
- ● Kommst du mit ins Konzert?
- ○ Wer spielt?
- ● Robbie und seine Band.
- ○ Wann fängt das Konzert an?
- ● Um 20 Uhr.
- ○ Super. Ich komme mit. / Nein, ich habe keine Zeit/Lust.

**über Hobbys sprechen**
- ● Was sind deine Hobbys? ○ Mein Hobby ist …
- ● Spielst du gern Tennis? ○ Nein, ich fahre gern Fahrrad.

**Hobbys**
- Freunde besuchen | reiten | Flugzeuge basteln | Computerspiele spielen | fernsehen | im Schulcafé arbeiten | Klavier spielen | Fahrrad fahren | Sport machen | Aufkleber sammeln | Tennis spielen | in die Disco gehen | schwimmen | Fußball spielen | Theater spielen

**Aufforderungen verstehen und formulieren**
- Kauf ein! | Mach Hausaufgaben! | Räum auf! | Steh auf! | Lern Mathe! | Mach das Essen warm! | Ruf Opa an! | Beeil dich!

Ich habe keine Lust!
Schade.
Geh ans Telefon!

## Noch einmal, bitte

**will und muss**
Was willst du?
Was musst du?
Macht je drei Sätze.

**sich verabreden**
Spielt Dialoge.
● Konzert?
○ Wer?
● Robbie und Band.
○ Wann?
● 🕘
○ ☺ / ☹

**über Hobbys sprechen**
Fragt und antwortet.
*Was sind deine …*

**Hobbys**
Nennt fünf Hobbys.

**Aufforderungen**
Was sagen Eltern oft?
- *Mach …*
- *Räum …*
- …

Schade.

# 8

**Wir lernen:**
Sprachen | über die eigenen Sprachen sprechen | Verkehrsmittel | über den Schulweg sprechen
Pronomen: *man* | Verb *sprechen* | Sätze mit *deshalb* | *mit* und Dativ | *sein, ihr*

# Schule international

## 1 Unsere Sprachen

1.49

**a Welche Sprachen hört ihr?**

Deutsch • Englisch • Chinesisch • Türkisch • Französisch • Italienisch • Suaheli • Polnisch • Spanisch • Portugiesisch • Russisch

*Nummer 1 ist Deutsch.*

*Nummer 2 ist …*

**b Welche Sprachen spricht man wo?**

in Italien • in Kenia • in China • in den USA • in Portugal • in der Schweiz • in Spanien • in Russland • in der Türkei • in Österreich • in Polen • in Deutschland • in Frankreich

*In Italien spricht man Italienisch.*

*In der Schweiz spricht man auch Italienisch.*

| man | |
|---|---|
| In Deutschland | spricht **man** Deutsch. |
| Italienisch | spricht **man** in Italien. |

**c Welche Sprachen gibt es in eurer Klasse oder Schule? Sammelt.**

In unserer Klasse sprechen wir … Sprachen. Das sind …

| sprechen |
|---|
| ich sprech**e** |
| du spri**chst** |
| er/es/sie spri**cht** |

## 2 Meine Sprachen

1.50

**a Hört die drei Jugendlichen. Wer hat nur eine Muttersprache?**

Giovanni

Lisa

Grace

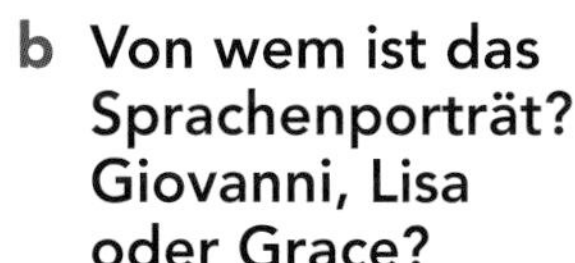

**b Von wem ist das Sprachenporträt? Giovanni, Lisa oder Grace?**

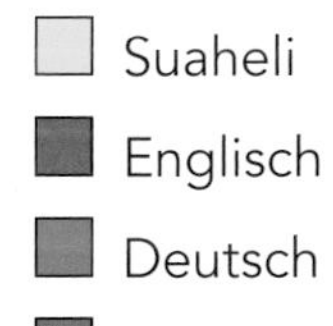

**c Macht ein Sprachenporträt für eure Sprachen. Präsentiert es in der Klasse.**

*Ich spreche … und ich lerne …*

## 3 Deshalb spricht er Deutsch.

**a Was passt zusammen? Lest die Sätze richtig vor.**

1. Die Mutter von Giovanni kommt aus Italien,
2. Giovanni ist in Deutschland geboren,
3. Die Eltern von Lisa kommen aus Deutschland,
4. Grace kommt aus Kenia,

A deshalb sprechen sie Deutsch.
B deshalb spricht sie Suaheli und Englisch.
C deshalb spricht er auch Deutsch.
D deshalb spricht Giovanni Italienisch.

**b Macht aus zwei Sätzen einen Satz mit *deshalb*.**

Paul findet Pia nett.
Frau Müller gibt am Freitag nie Hausaufgaben.
Robbie hat ein Konzert.
Der Bruder von Nadja ist fünf Jahre alt.
Pia hat einen Hund.

Sie geht viel spazieren.
Er muss viel Gitarre üben.
Nadja findet sie super.
Er will mit Pia ins Kino gehen.
Er geht noch nicht in die Schule.

*Paul findet Pia nett, deshalb …*

**deshalb**

Die Mutter von Giovanni kommt aus Italien. Giovanni spricht Italienisch.
Die Mutter von Giovanni kommt aus Italien, **deshalb** spricht Giovanni Italienisch.

## 4 Abenteuer Schulweg

**a Lest die Texte und seht die acht Fotos an. Wie kommen die Schüler in die Schule? Welches Foto passt?**

*Francesca fährt mit … in die Schule.*

**Kenan**, 15 Jahre, Mongolei

Bei uns gibt es keine Straßen und deshalb auch keinen Bus. Meine Schwester und ich reiten jeden Tag in die Schule. Für 18 Kilometer brauchen wir 90 Minuten.

**Francesca**, 13 Jahre, Alp Flix (Kanton Graubünden, Schweiz)

Wir wohnen auf einem Berg. Mein Schulweg ist vier Kilometer lang. Aber ich brauche nur acht Minuten dafür – zumindest bei Schnee. Das geht wahnsinnig schnell und macht großen Spaß! Auf dem Rückweg holt mich meine Mutter mit dem Auto ab.

mit dem Schlitten fahren

mit dem Fahrrad fahren

mit dem Pferd reiten

mit dem Auto fahren

mit dem Bus fahren

mit der U-Bahn fahren

mit dem Zug fahren

mit dem Schiff fahren

1.51 **b Hört das Quiz. Wie ist der Schulweg von Martin, Resa und Tommi? Welches Verkehrsmittel benutzen sie? Macht Notizen und sprecht in der Klasse.**

Martin
Schulweg: 30 Kilometer
Zeit: 30 Minuten
kein Bus, keine U-Bahn

*Martin fährt mit …*

Schule
Ohne Fahrrad, ohne Bus – ich gehe zu Fuß.

**c Wie kommt ihr zur Schule? Sprecht in der Klasse.**

*Ich fahre mit dem Fahrrad in die Schule. Das dauert eine halbe Stunde.*

*Ich gehe zu Fuß. Das dauert nur 10 Minuten.*

**mit und Dativ**

| | |
|---|---|
| der Schlitten | Ich fahre **mit dem Schlitten**. |
| das Fahrrad | Ich fahre **mit dem Fahrrad**. |
| die U-Bahn | Ich fahre **mit der U-Bahn**. |
| die Busse | Ich fahre **mit den Bussen** 105 und 107. |

## 5 Auf dem Weg zur Schule

### a Seht euch das Bild an. Was denkt ihr? Was ist von wem?

Hey, hast du keine Augen im Kopf!
'tschuldigung, Pia!

die CD • das Foto • der Brief • die Katze • die Schuhe • der Stift

*Die CD ist bestimmt von Robbie.*

### b Sprecht zu zweit. Fragt und antwortet.

*Ist das seine CD? Oder ist das ihre CD?*

*Das ist seine CD.*

*Ist das sein Brief? Oder ist das ihr Brief?*

| | sein/seine | ihr/ihre |
|---|---|---|
| der Brief | **sein** Brief | **ihr** Brief |
| das Foto | **sein** Foto | **ihr** Foto |
| die CD | **seine** CD | **ihre** CD |
| die Schuhe | **seine** Schuhe | **ihre** Schuhe |

## 6 Mit Punkten oder ohne?

**Hört zu und zeigt den richtigen Buchstaben.**

1.52

### a u oder ü

1. T_rkei
2. Sch_le
3. _ben
4. M_sik
5. F_ßball
6. Sch_ler

1.53

### b o oder ö

1. Franz_sisch
2. P_lnisch
3. _sterreich
4. t_ll
5. w_hnen
6. h_ren

### c Hört noch einmal und sprecht die Wörter nach.

## 7 Ein E-Mail-Austausch im Deutsch-Unterricht

### a Maria schreibt an ihren E-Mail-Partner Eric. Lest die E-Mail. Was ist richtig?

1. Maria schreibt zum ersten Mal an Eric.
2. Maria schreibt zum zweiten Mal an Eric.

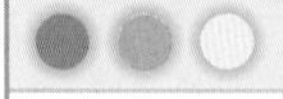

Hallo Eric,

wie geht es dir? Mir geht es gut.

Ich heiße Maria und komme aus Barcelona. Ich bin 13 Jahre alt und gehe in die 7. Klasse im Liceo Gaudí. Ich habe jeden Tag von 8 bis 16 Uhr Schule. Mein Lieblingsfach ist Musik. Meine Hobbys sind Gitarre spielen, lesen und tanzen.
Ich spreche Spanisch. In der Schule lerne ich Deutsch und Englisch.

Wie alt bist du? Wie lange bist du jeden Tag in der Schule? Was ist dein Lieblingsfach? Was sind deine Hobbys? Welche Sprachen sprichst du?

Schreib mir bald!

Viele Grüße
Maria

### b Schreibt einen Steckbrief über Maria.

Name: Maria
Wohnort:
Alter:
Klasse:
Schule:
Lieblingsfach:
Hobbys:
Sprachen:

### c Erfindet einen Steckbrief für Eric und schreibt dann eine Antwort auf Marias E-Mail. Antwortet auf ihre Fragen.

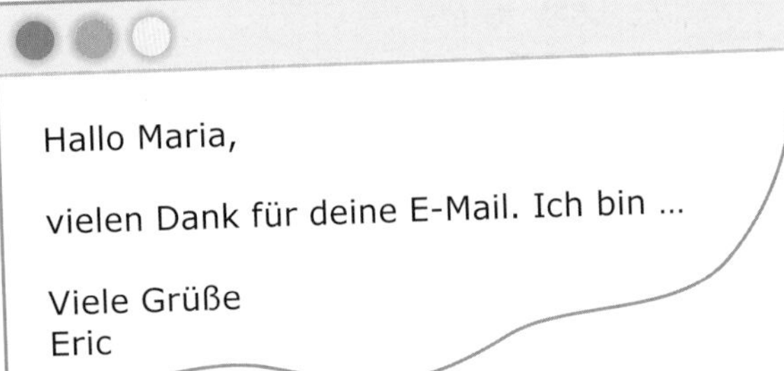

Hallo Maria,

vielen Dank für deine E-Mail. Ich bin ...

Viele Grüße
Eric

## 8 Projekt: Austausch-Klasse gesucht

### Sucht euch eine Partnerklasse und schreibt ihr E-Mails.

Sucht euch eine Partnerklasse aus einem anderen Land. Sie lernt auch Deutsch und die Schüler sind so alt wie ihr. ● Jeder Schüler aus Schule A bekommt einen E-Mail-Partner aus Schule B. ● Was möchtet ihr schreiben? Findet für jede E-Mail ein Thema (z. B. das bin ich, meine Familie, meine Schule, mein Zimmer, das sind meine Hobbys). ● Schreibt alle zwei Wochen eine E-Mail.

| Kannst du das schon? | Noch einmal, bitte |
| --- | --- |
| **Sprachen**<br>– Deutsch I Englisch I Chinesisch I Türkisch I Französisch I Italienisch I Suaheli I Polnisch I Spanisch I Portugiesisch I Russisch | **Sprachen**<br>Nennt möglichst viele Sprachen. |
| **Pronomen: *man***<br>– In Deutschland und in Österreich spricht man Deutsch. In der Schweiz spricht man Deutsch, Französisch und Italienisch. Türkisch spricht man in der Türkei. | **Pronomen: *man***<br>Welche Sprachen spricht man wo?<br>*In der Schweiz …*<br>*Chinesisch …*<br>*Englisch …* |
| **über die eigenen Sprachen sprechen**<br>– Ich spreche … und ich lerne …<br>– In unserer Klasse sprechen wir …<br>– Giovanni ist in Deutschland geboren, deshalb spricht er Deutsch.<br>– Grace kommt aus Kenia, deshalb spricht sie Suaheli und Englisch. | **eigene Sprachen**<br>Welche Sprachen sprecht und lernt ihr?<br>*Ich bin in … geboren, deshalb …*<br>*Ich lerne …* |
| **Verkehrsmittel**<br>– das Fahrrad I das Auto I der Bus I die U-Bahn I der Zug I das Schiff I der Schlitten I das Pferd | **Verkehrsmittel**<br>Nennt möglichst viele Verkehrsmittel. |
| **über den Schulweg sprechen**<br>– Ich fahre mit dem Bus.<br>Ich fahre mit dem Fahrrad.<br>Ich fahre mit der U-Bahn.<br>Ich fahre mit den Bussen 105 und 107.<br>– Ich fahre mit … Das dauert eine halbe Stunde.<br>– Ich gehe zu Fuß. Das dauert nur 10 Minuten. | **Schulweg**<br>Wie kommt ihr zur Schule? |
| ***sein* und *ihr***<br>Das ist sein Brief. / Das ist ihr Brief.<br>Das ist sein Foto. / Das ist ihr Foto.<br>Das ist seine CD. / Das ist ihre CD.<br>Das sind seine Schuhe. / Das sind ihre Schuhe. | ***sein* und *ihr***<br>Macht Sätze.<br>*Das ist ihr Foto.* |
| Hast du keine Augen im Kopf?<br>'tschuldigung! | *'tschuldigung!* |

# Grammatikübersicht

## Aussagesätze

| Position 1 | Position 2 | |
|---|---|---|
| **Kolja** | liest | am Abend ein Buch. |
| Am Abend | liest | **Kolja** ein Buch. |

## Sätze mit trennbaren Verben

| Position 1 | Position 2 | | Satzende |
|---|---|---|---|
| Du | rufst | Oma | an. |
| Papa | kauft | gern im Supermarkt | ein. |

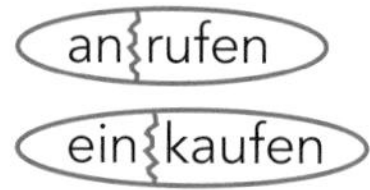

anrufen
einkaufen

Weitere trennbare Verben: *abholen, anfangen, aufmachen, aufräumen, aufstehen, mitkommen, mitmachen, mitnehmen*

## Sätze und W-Fragen mit *wollen* und *müssen*

| Position 1 | Position 2 | | Satzende |
|---|---|---|---|
| Ich | will | Spaghetti | kochen. |
| Was | willst | du | essen? |
| Ich | muss | Oma | anrufen. |
| Was | musst | du | machen? |

## Ja-/Nein-Fragen mit *wollen* und *müssen*

| Position 1 | | Satzende |
|---|---|---|
| Wollt | ihr ins Kino | gehen? |
| Musst | du Mathe | lernen? |

## Konnektoren: *deshalb, zuerst, dann, danach*

| | |
|---|---|
| **deshalb** | Grace kommt aus Kenia. Sie spricht Englisch und Suaheli.<br>→ Grace kommt aus Kenia, **deshalb** spricht sie Englisch und Suaheli. |
| **zuerst**<br>**dann**<br>**danach** | Ich stehe auf. Ich dusche. Ich frühstücke.<br>→ **Zuerst** stehe ich auf, **dann** dusche ich. **Danach** frühstücke ich. |

## Verben *wollen* und *müssen*

| | wollen | müssen |
|---|---|---|
| ich | will | muss |
| du | willst | musst |
| er/es/sie | will | muss |
| wir | wollen | müssen |
| ihr | wollt | müsst |
| sie | wollen | müssen |
| Sie | wollen | müssen |

## Verben mit Vokalwechsel

| | laufen | essen | lesen |
|---|---|---|---|
| ich | laufe | esse | lese |
| du | läufst | isst | liest |
| er/es/sie/man | läuft | isst | liest |
| wir | laufen | essen | lesen |
| ihr | lauft | esst | lest |
| sie | laufen | essen | lesen |
| Sie | laufen | essen | lesen |

Weitere Verben mit Vokalwechsel:
*treffen (trifft), sprechen (spricht)*

## Imperativ

| | machen | kommen | an/rufen | auf/räumen | ein/kaufen |
|---|---|---|---|---|---|
| du | Mach schnell! | Komm! | Ruf an! | Räum auf! | Kauf ein! |

## Possessivartikel:

| | *sein, seine* | *ihr, ihre* | *unser, unsere* | *euer, eure* |
|---|---|---|---|---|
| der Hund (k)ein Hund | **sein** Hund | **ihr** Hund | **unser** Hund | **euer** Hund |
| das Buch (k)ein Buch | **sein** Buch | **ihr** Buch | **unser** Buch | **euer** Buch |
| die Gitarre (k)eine Gitarre | **seine** Gitarre | **ihre** Gitarre | **unsere** Gitarre | **eure** Gitarre |
| die Freunde (k)eine Freunde | **seine** Freunde | **ihre** Freunde | **unsere** Freunde | **ihre** Freunde |

## *mit* und Dativ

| Nominativ | Dativ<br>Ich fahre mit … |
|---|---|
| der | **dem Schlitten**. |
| das | **dem Fahrrad**. |
| die | **der U-Bahn**. |
| die | **den Bussen** 105 und 107. |

## Präpositionen: *am, um, mit*

| | |
|---|---|
| am (Wann?) | **Am Nachmittag** kocht Nadja Spaghetti. **Am Dienstag** hat Plato frei. |
| um (Wann?) | Ich frühstücke **um 8 Uhr**. |
| mit | Robbie fährt **mit dem Fahrrad** in die Schule. |

# Tipps für die Prüfung

## 1 Prüfungsteil Lesen: Anzeige

**a Lest die Überschrift von der Anzeige. Überlegt in der Klasse: Für was ist die Anzeige?**

**b Lest jetzt die ganze Anzeige. War alles richtig?**

**Sport mit Freunden**

Magst du Sport?
Dann komm zu uns. Hier kannst du Fußball spielen, schwimmen, tanzen und vieles mehr.
Komm zu uns und mach Sport mit Freunden!

**Nur 15 Euro im Monat!**

Sport-Club 1860 Salzburg
Wiener-Platz 12
5014 Salzburg

**c Sucht Antworten auf die Fragen.**

- Für was?
- Wo?

*Die Anzeige ist für …*

**d Welche Antwort passt zur Anzeige? Schreibt die Lösung ins Heft.**

1. Das ist eine Anzeige für
   a) einen Freunde-Treff.
   b) einen Sport-Club.
   c) einen Fußballplatz.

2. Was kann man dort machen?
   a) Musik
   b) Hausaufgaben
   c) Sport

3. Wo?
   a) In Düsseldorf
   b) In Wien
   c) In Salzburg

*1. Das ist eine Anzeige für …*

## 2 Prüfungsteil Schreiben: eine E-Mail schreiben

**a Lest die Aufgabe und die E-Mail aus der Prüfung.**

Du hast eine E-Mail bekommen.
Antworte darauf bitte mit mindestens 30 Wörtern. Schreibe bitte **nicht** mit Bleistift.

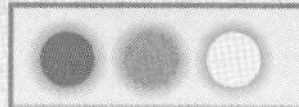

Hallo,

ich heiße Pilar und bin 14 Jahre alt. Ich wohne in Madrid.
Ich habe eine Schwester, sie ist 12 Jahre alt.
Ich lese viele Bücher und höre Musik von Rihanna.
Welche Musik hörst du? Schreib mir bitte!
Pilar

pilar.montez@mail.es

**b Was schreibt Pilar? Schreibt Stichwörter ins Heft.**

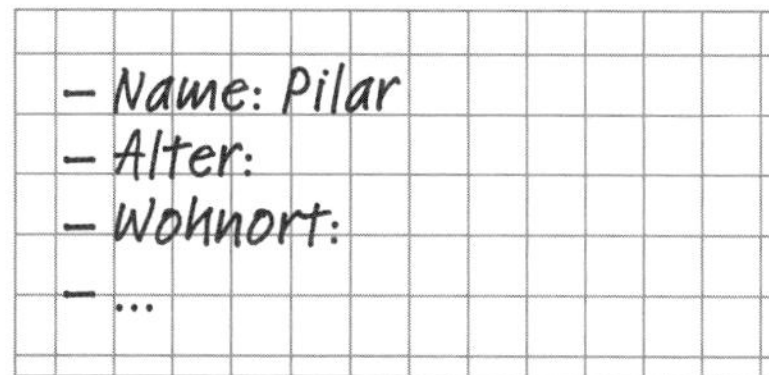


**c Was wollt ihr Pilar schreiben? Notiert Stichwörter.**

– mein Name
– …

**d Was wollt ihr zuerst schreiben, was am Ende? Nummeriert eure Stichwörter.**

– mein Name: (1)
– …

**e Schreibt eine E-Mail an Pilar ins Heft.**
**Schreibt einen Satz zu jedem Stichwort.**

*Tauscht eure Hefte und korrigiert eure E-Mails. Sammelt die Fehler an der Tafel.*

## Das Insel-Spiel

Kap Arkona

Ein Freund lädt dich ein, aber du kannst nicht. Was sagst du?

Was musst du machen? Nenne drei Aktivitäten.

Bilde einen Satz mit *gern machen.*

Konjugiere *sein.*

Beschreibe deine Schule mit drei Sätzen.

Welche Fächer hast du am Dienstag?

Wie heißen die Wochentage?

Bilde einen Satz mit *anrufen.*

Konjugiere *treffen.*

Was machst du am Wochenende? Nenne vier Aktivitäten.

**3** Auf der Insel

a **Wo ist die Insel? Seht eine Deutschlandkarte an und sucht die Insel. Wie heißt sie?**

b **Spielt in Gruppen und macht eine Reise über die Insel.**

Ihr braucht: Würfel und Spielfiguren. ● Der Spieler mit dem ersten Buchstaben im Alphabet beginnt. ● Ein Spieler würfelt, z. B. ⚁ → Er geht zwei Felder vor und macht die Aufgabe. ● Aufgabe richtig? → Der nächste Spieler ist dran. ● Fehler? → Geh zwei Felder zurück. Dann suchen alle zusammen die richtige Antwort.

Ostsee
Was machst du gern? Nenne drei Hobbys.
Königsstuhl
Konjugiere *wollen*.
Bilde einen Satz mit *wollen*.
Nenne vier Verkehrsmittel.
Wie kommst du zur Schule?
Bilde zwei Sätze mit *sein/e* und *ihr/e*.
Sellin
Konjugiere *sprechen*.
Bilde einen Satz mit *deshalb*.
Wie
agt man die
Uhrzeiten?
0, 8:45, 10:15
Nenne drei trennbare Verben.

9

**Wir lernen:**
sagen, was man immer/oft/manchmal/nie macht |
über Musik sprechen | sagen, dass man etwas toll findet
Sätze mit *aber* | Verben mit Akkusativ | bestimmter
Artikel im Akkusativ: *den, das, die*

# Meine Freunde und ich

## 1 Mädchen!

**a Was machen Mädchen zusammen? Machen Jungen das auch? Sammelt in der Klasse.**

*Mädchen gehen spazieren. Das machen Jungen auch.*

*Nein, das machen Jungen nicht!*

2.1

**b Hört das Gespräch. Welches Bild passt? Was machen Nadja und Pia?**

1

2

3

2.1

**c Hört noch einmal. Bringt die Sätze in die richtige Reihenfolge.**

● Na ja, ein bisschen langweilig. ○ Ach, Robbie ist so süß! Wie findest du das Lied?
● Macht nichts. ○ Hör mal! Der neue Song von unserer Schulband!
● Wie findest du die Schulband? ○ Ich finde die Musik super! Kennst du den Sänger?
● Robbie? Klar. ○ Oh, eine SMS von Robbie! Ich muss weg. Tut mir leid!

**d Übt zu zweit das Gespräch von Nadja und Pia. Spielt dann das Gespräch ohne Buch.**

## 2 Das Tagebuch von Pia

### a Lest das Tagebuch von Pia. Warum ist sie traurig?

A Nadja schreibt Pia keine Nachrichten. Deshalb ist Pia traurig.
B Nadja hat nie Zeit für Pia. Deshalb ist Pia traurig.
C Nadja ist in Paul verliebt. Deshalb ist Pia traurig.

Liebes Tagebuch!

Ich habe echt ein Problem mit Nadja! Ich rufe Nadja immer an, aber Nadja ruft nie an! Ich besuche Nadja oft, aber Nadja hat nie Zeit. Ich mache immer Hausaufgaben für Nadja. Nadja macht nie Hausaufgaben für mich. Manchmal gehe ich auch mit Jannik spazieren. Aber Nadja geht nie mit Plato spazieren! Wir sind doch Freundinnen! Aber vielleicht passen wir einfach nicht zusammen. Das ist so traurig! Nadja schreibt zum Beispiel immer Nachrichten und sieht Videos auf YouTube, aber ich gehe gern mit Plato in den Park oder lese. Außerdem möchte Nadja immer kochen, aber ich sehe gern Filme. Und dann Robbie! Nadja ist einfach total in Robbie verliebt. Und ich? Ich bin nicht glücklich! Niemand liebt mich.

### b Warum passen Pia und Nadja nicht zusammen? Sprecht in der Klasse.

*Pia ruft Nadja immer an, **aber** …*

**aber**

Ich (besuche) Nadja oft, **aber** Nadja (hat) nie Zeit.

## 3 Deine Freunde und du

**Was macht ihr zusammen? Und wie oft? Macht eine Liste und sprecht zu zweit.**

Musik hören • telefonieren • Sport machen • ins Theater gehen • Hausaufgaben machen • spazieren gehen • Nachrichten an Freunde schreiben • kochen • Musik machen • Computerspiele spielen • Handy-Spiele spielen • lesen • skypen • Filme machen • chillen

| immer | oft | manchmal | nie |
|---|---|---|---|
| *Musik hören* | *ins Kino gehen* | | |

*Wir hören immer Musik.*

## 4 Projekt: Umfrage „Was machst du mit deinen Freunden?"

**Macht eine Umfrage und präsentiert eure Ergebnisse.**

Macht einen Fragebogen und schreibt viele Aktivitäten (telefonieren, Musik hören, …). • Wie oft machen eure Mitschüler das? • Zählt und präsentiert eure Ergebnisse in der Klasse.

**Umfrage: Was machst du mit deinen Freunden? Kreuze an.**

| | immer | oft | manchmal | nie |
|---|---|---|---|---|
| **telefonieren** | ☐ | ☐ | ☐ | ☐ |
| **Musik hören** | ☐ | ☐ | ☐ | ☐ |

# 5 Das Lied von Robbie

**a Hört das Lied. Wie findet ihr die Musik?**

2.2

traurig • romantisch • langweilig • interessant • blöd • schön • dumm • super

*Ich finde die Musik sehr traurig.*

*Ja, die Musik ist traurig, aber ich finde das Lied schön.*

**b Hört das Lied noch einmal und singt den Text mit.**

Siehst du die Frau dort im Fenster?
Siehst du den Baum dort im Hof?
Siehst du die Leute dort im Park?
Du bist nicht allein – niemand ist allein.

Siehst du den Hund dort im Hof?
Siehst du die Blume dort im Park?
Siehst du den Mann dort im Fenster?
Du bist nicht allein – niemand ist allein.

Siehst du das Baby dort im Hof?
Siehst du die Katze dort im Fenster?
Siehst du den Opa dort im Park?
Du bist nicht allein – niemand ist allein.

| Akkusativ (bestimmter Artikel) | | |
|---|---|---|
| der Hund | → | Siehst du **den Hund**? |
| das Mädchen | → | Siehst du **das Mädchen**? |
| die Blume | → | Siehst du **die Blume**? |
| die Kinder | → | Siehst du **die Kinder**? |

**c Schreibt die Nomen im Akkusativ in euer Heft. Welcher Artikel verändert sich im Akkusativ?**

*die Frau, den Baum, ...*

**d Schreibt noch eine Strophe für das Lied. Die Wörter im Kasten helfen.**

das Kind • der Musiker • die Oma • das Mädchen • der Schüler • die Familie • die Kinder • die Schulklasse • der Lehrer

## 6 Komisch …

**a Lest die Sätze. Wo ist der Akkusativ?**

1. Die Brille sucht den Opa.
2. Der Computer repariert den Vater.
3. Die Hausaufgabe macht den Schüler.
4. Das Motorrad liebt die Lehrerin.
5. Das Gespräch findet den Schüler langweilig.
6. Der Knochen sieht Plato.

*Akkusativ in Satz 1: „den Opa".*

**b Repariert die Sätze und schreibt sie richtig ins Heft.**

Der Opa sucht die Brille.

*Die Brille sucht den Opa? So ein Quatsch! Der Opa sucht die Brille!*

**c Übersetzt die ersten drei Sätze in 6a und b in eure Sprachen. „Sieht" man den Akkusativ?**

## 7 Hast du …?

**a Seht die Bilder 30 Sekunden an und merkt sie euch. Schließt dann das Buch.**

**b Welche Wörter wisst ihr noch? Schreibt alle Wörter mit Artikel auf Deutsch. Kontrolliert zu zweit. Öffnet dann das Buch. Welches Team hat die meisten Wörter?**

der Bleistift
die Brille

*Hast du den Bleistift?*

*Ja. Hast du die …*

## 8 Satzakzent

2.3

**a Hört die Sätze. Wo ist der Akzent: am Anfang, in der Mitte oder am Ende?**

1. Die Oma sucht die Brille. 2. Die Mutter kauft das Heft. 3. Plato sieht den Knochen.

2.4

**b Hört die Sätze von hinten und sprecht nach.**

1. die Brille. sucht die Brille. Die Oma sucht die Brille.
2. das Heft. kauft das Heft. Die Mutter kauft das Heft.
3. den Knochen. sieht den Knochen. Plato sieht den Knochen.

## 9 Im Fan-Forum

**a Richtig oder falsch? Lest die Sätze und die Texte aus den Foren.**

1. Shary und Ralph sieht man bei den „Simpsons".
2. Auf YouTube und Viva kann man Musik hören und sehen.
3. Der Fußballer Mario Götze spielt in Hamburg.

**A www.serien-junk.de**

Blixi99
Beiträge: 56
Likes: 7

vor 2 Tagen

Was seht ihr für Serien? Ich sehe die „Simpsons". „Wissen macht Ah" finde ich auch super. Ich bin ein großer Fan von Shary und Ralph.

**B www.musixx.de**

Musicaé
3 Beiträge

› heute, 15:45 Uhr

Ohne Musik kann ich nicht leben. Deshalb habe ich den ganzen Tag Kopfhörer im Ohr. Ich sehe Videos bei YouTube oder ich sehe Viva. Ich habe viele Lieblingslieder. Und ihr?

**C www.fussballfan-heute.de**

Knaxus14
10 Beiträge

gestern, 19:25 Uhr

Fußball ist mein Leben. Mein Lieblingsfußballer ist Mario Götze. Er spielt für Bayern München und ich finde Mario toll. Er hat eine super Technik. Ich spiele auch Fußball bei uns in Hamburg im Harburger TB.

**b Wählt ein Forum A, B oder C. Schreibt einen kurzen Text für das Forum. Der Kasten hilft.**

Ich mag … • … finde ich süß/toll/super. • Mein Lieblingssänger / Meine Lieblingssängerin / Meine Lieblingsgruppe ist … • Mein Lieblingssportler / Meine Lieblingssportlerin heißt … • Ich bin ein großer Fan von … • Ohne … kann ich nicht leben. • … ist mein Leben.

**c Hängt eure Texte in der Klasse auf. Lest die Texte und schreibt zu zweit eine Antwort auf einen Text. Hängt eure Antwort dann unter dem Text auf.**

## Kannst du das schon?

**Sätze mit *aber***
- Ich rufe Nadja immer an, aber sie ruft nie an.
  Nadja möchte immer kochen, aber ich sehe gern Filme.

## Noch einmal, bitte

**Sätze mit *aber***
Ergänzt die Sätze.
*Ich rufe Nadja immer an, aber ...*
*Nadja möchte immer kochen, aber ...*

**sagen, was man immer/oft/manchmal/nie macht**
- Wir hören immer Musik.
- Wir telefonieren oft.
- Wir kochen manchmal.
- Wir machen nie Hausaufgaben.
- Musik hören | telefonieren | Sport machen | ins Kino gehen | Hausaufgaben machen | spazieren gehen | Nachrichten an Freunde schreiben | kochen | Musik machen | Computerspiele spielen | Handy-Spiele spielen | skypen | chillen | Filme machen

**immer/oft/manchmal/nie**
Was macht ihr immer, was oft, was nur manchmal und was nie?

immer nie

**über Musik sprechen**
- Wie findest du das Lied?
  Wie findest du die Schulband?
  Kennst du den Sänger?
- Ich finde die Musik (sehr) traurig | romantisch | langweilig | interessant | blöd | schön | dumm | super.
- Die Musik ist traurig, aber das Lied ist schön.

**über Musik sprechen**
Beschreibt ein Lied.

**Akkusativ**
- Siehst du den Mann?
  Siehst du das Mädchen?
  Siehst du die Blume?
  Kennst du die Kinder?
- sehen, suchen, reparieren, machen, lieben, finden, haben

**Akkusativ**
Ergänzt die Sätze.
*Ich suche ...*
*Nadja findet ... toll.*
*Du machst ...*
*Plato sieht ...*

**sagen, dass man etwas toll findet**
- ... finde ich süß/toll/super
  Ich mag ...
- Mein Lieblingslied / Mein Lieblingssänger / Meine Lieblingssängerin / Meine Lieblingsgruppe ist ...
  Mein Lieblingssportler heißt ...
- Ich bin ein großer Fan von ...
- Ohne ... kann ich nicht leben. / ... ist mein Leben.

**etwas toll finden**
Ergänzt die Sätze für euch.
*... finde ich super.*
*Mein Lieblingssänger heißt ...*
*Ohne ... kann ich nicht leben.*

● Ich muss weg. Tut mir leid. ○ Macht nichts.
● Kennst du ...? ○ Klar.

*Tut mir leid.*

**Wir lernen:**
über den Geburtstag sprechen | zum Geburtstag gratulieren | Monate | Jahreszeiten | Familie | Haustiere
unbestimmter Artikel im Akkusativ: *(k)einen, (k)ein, (k)eine* | *lieber*

# Meine Familie und ich

## 1 Mein Geburtstag

2.5

**a Seht die Fotos an und hört die Gespräche. Welches Foto passt zu welchem Gespräch?**

A

B

C

D

**b Welche Sätze passen zu welchem Foto?**

Am Geburtstag feiert man eine Party. • Das Geburtstagskind bekommt Geschenke. •
Am Nachmittag isst man Kuchen und trinkt Kaffee, Tee oder Kakao. •
Die Schulfreunde gratulieren zum Geburtstag. • Die Familie singt ein Geburtstagslied. •
Das Geburtstagskind lädt Freunde ein.

**c Wie feiert ihr Geburtstag?**

*Die Geschenke bekomme ich am Abend.*

*In der Schule …*

## 2 Alles Gute zum Geburtstag!

**a Lest die Einträge in Sophies Klassenchat. Wie viele Freunde gratulieren?**

Max: Wer hat die Hausaufgaben? 7:19

Wir haben keine Hausaufgaben! ;-) 7:20

Anna: Alles Gute, liebe Sophie! 7:20

Lea: Herzlichen Glückwunsch! 7:25

Danke! 7:25

Tom: Sophie, hast du heute Geburtstag? Zum Geburtstag viel Glück! 7:26

Ich danke euch! 7:27

Tom: Wann ist die Party? 7:35

Party? ;-) 7:36

Luis: Alles Gute zum Geburtstag! Feier schön! 7:37

Wir feiern zusammen. Ich bringe heute Kuchen in die Schule mit! 7:45

Max: Super! Ich habe Hunger! 8:00

**b Notiert die Ausdrücke zum Gratulieren in euer Heft. Übersetzt sie in eure Sprachen.**

## 3 Wann hast du Geburtstag?

**a Wann habt ihr Geburtstag? Sprecht in der Klasse.**

*Ich habe im Sommer Geburtstag. Im Juli.*

*Ich habe im Frühling Geburtstag. Im März.*

**b Schreibt und malt einen Geburtstagskalender für die Klasse.**

## 4 *-er* am Wortende

2.6 **a Hört *-er* am Wortende und sprecht nach.**

Somm<u>er</u> – Septemb<u>er</u> – Dezemb<u>er</u>

2.7 **b Wie sprecht ihr diese Wörter aus? Sprecht und hört dann zur Kontrolle.**

Wint<u>er</u> – Oktob<u>er</u> – ab<u>er</u> – Lehr<u>er</u> – Zimm<u>er</u> – Schül<u>er</u>

## 5 Geburtstagslieder

**a Hört und singt die Geburtstagslieder.**

2.8

Zum Geburtstag viel Glück,
zum Geburtstag viel Glück,
zum Geburtstag, liebe/r ...,
zum Geburtstag viel Glück!

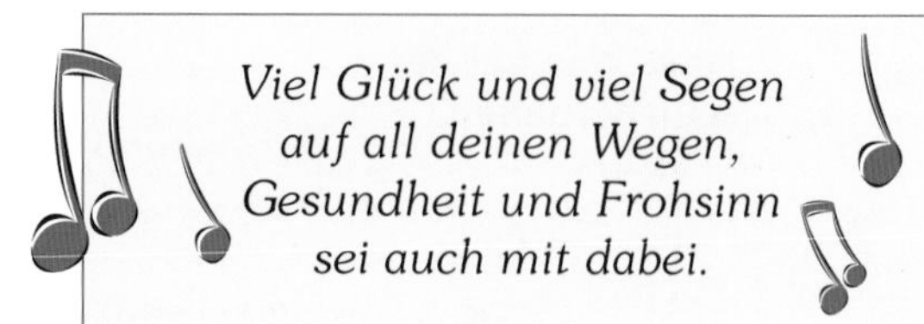
*Viel Glück und viel Segen*
*auf all deinen Wegen,*
*Gesundheit und Frohsinn*
*sei auch mit dabei.*

**b Welche Geburtstagslieder kennt ihr?**

## 6 Überraschung! Ein Geschenk für Kolja

**a Hört den Text. Was bekommt Kolja?**

2.9

**b Was sagen die Freunde? Ordnet zu und schreibt die Sätze ins Heft. Hört das Gespräch noch einmal zur Kontrolle.**

| | |
|---|---|
| 1. Habt ihr ... | A ein Computerspiel. |
| 2. Kolja will ... | B eine Idee. |
| 3. Wir kaufen ... | C ein Geschenk? |
| 4. Wir schenken ... | D zusammen eine Party. |
| 5. Ich habe ... | E einen Computer. |
| 6. Wir machen ... | F Karten für ein Fußballspiel. |

*... eine CD?*

*... ein Computerspiel?*

*... einen Computer?*

... Karten für ein Fußballspiel?

*... eine Party?*

## 7 Geschenke

**a Sammelt in der Klasse. Was kann man sonst noch schenken?**

*einen Fußball* *ein Buch* *eine CD*

| Akkusativ (unbestimmter Artikel) | | | |
|---|---|---|---|
| der | Er will | **einen/keinen** | **Computer.** |
| das | Wir kaufen | **ein/kein** | **Geschenk.** |
| die | Wir machen | **eine/keine** | **Party.** |
| die | Wir schenken | -----/**keine** | **Karten.** |

**b Was wünscht ihr euch nicht? Spielt in der Klasse.**

*Ich will keinen Fußball.*

*Ich will keinen Fußball und keine Schultasche.*

*Ich will keinen Fußball, keine Schultasche und kein ...*

**c Was wollt ihr lieber haben? Sprecht zu zweit.**

| lieber | |
|---|---|
| ☹ | kein |
| ☺☺ | lieber |

*Ich will keinen Fußball. Ich will lieber ein Handy. Und du?*

*Ich will kein Computerspiel. Ich will lieber ...*

## 8 Meine Familie

2.10

**a Lest und hört das Gedicht über Charlottes Familie. Wer hat wann Geburtstag?**

Geburtstag ist echt toll,
da ist die Bude voll.
Mein Onkel Fritz, Grit, meine Tante
und andere Verwandte,
feiern das ganze Jahr,
das ist echt wahr!
Im Januar hat Onkel Fritz,
im Februar – das ist kein Witz –
hat meine Mutter Anna.

Im April, da hat mein Hund, der Bill.

Im Juli wünscht sich meine Katze
'nen frischen Fisch auf ihre Tatze.

Im Mai feiert mein Bruder Kai.

Meine Schwester Nele hat im März.
Sie kriegt ein Pferd, das ist kein Scherz.

Im Herbst hat dann der Opa Günther,
danach mein Vater Bernd im Winter.

Und ich, ich mache, was ich will,
und feiere im April!

*Onkel Fritz hat im Januar Geburtstag.*

**b Wer gehört zur Familie?
Notiert die Wörter an der Tafel.**

*Günther = der Opa*
*Bernd =*

**c Wählt eine Person aus eurer Familie und schreibt Informationen auf ein Blatt.**

***Bruder von Helena***
*Name: Dimitri* — *Schule: Aristoteles-Schule, 6b*
*Alter: 12 Jahre* — *Hobbys: Fußball und Hip-Hop ...*

**d Gebt die Zettel weiter, erzählt bei „Stopp" von der Person auf eurem Zettel.**

... hat einen Bruder/Onkel / eine Tante/Schwester •
Ihr Bruder / Ihre Schwester heißt ... • ... ist ... Jahre alt. •
Er/Sie geht in die ... Schule, in die Klasse ... • Seine/Ihre Hobbys sind ... und ...

## 9 Tiere in der Familie

**a Habt ihr ein Haustier oder möchtet ihr eins? Erzählt. Ein Wörterbuch hilft.**

die Katze • der Hund • der Fisch • der Papagei • der Hamster • das Pferd

*Ich habe einen Hund.*

*Ich hätte gern einen Hamster.*

**b Da stimmt doch was nicht! Wie ist es richtig?**

1 der Hund

*Ich kann fliegen!*

3 der Fisch

*Ich kann schnell laufen und ich fresse Gras.*

5



die Katze

*Wauwau, ich kann bellen.*

6 das Pferd

*Ich schlafe den ganzen Tag.*

2

*Ich mag Fisch.*

der Hamster

4

*Schwimmen finde ich toll!*

der Papagei

*Das ist doch Quatsch! Ein Hund kann nicht fliegen, aber er kann bellen.*

## 10 Mein Lieblingstier

**a Macht eine Umfrage in der Klasse. Welches Haustier ist die Nummer 1?**

Katze III
Hund II

**b Lest den Text über Haustiere in Deutschland. Welches Haustier ist in Deutschland die Nummer 1? Vergleicht mit eurem Ergebnis.**

### Haustier Nummer 1 in Deutschland

In Deutschland gibt es über 5 Millionen Hunde. Besonders beliebt ist der Labrador. Hamster und andere Kleintiere gibt es auch 5 Millionen, Vögel nur 3,3 Millionen. Katzen sind süß, brauchen nicht viel und sind in Deutschland mit 8 Millionen sehr beliebt.

**Millionen**

eine Million = 1.000.000

*In Deutschland ist die Nummer 1 …. Bei uns … .*

## 11 Projekt: „Unser Haustier"

**Arbeitet zu dritt. Wählt ein Haustier und schreibt eine Infokarte. Stellt dann euer Haustier vor.**

*Ich spreche heute über den Hund. Ein Hund kann …*

Ein Hund • Eine Katze • Ein Pferd … • ist … / kann … / frisst … • groß / süß / braun / … • bellen / fliegen / schnell laufen … • Salat / Fleisch / …

## Kannst du das schon?

**über den Geburtstag sprechen**
- Am Morgen singt meine Familie ein Lied und ich bekomme Geschenke.
- Meine Schulfreunde gratulieren zum Geburtstag.
- Am Nachmittag essen wir Kuchen.
- Ich lade meine Freunde ein und am Abend feiere ich eine Party.

**zum Geburtstag gratulieren**
- Alles Gute zum Geburtstag!
  Herzlichen Glückwunsch!
  Zum Geburtstag viel Glück!

**Monate**
- Januar | Februar | März | April | Mai | Juni | Juli | August | September | Oktober | November | Dezember

**Jahreszeiten**
- Frühling | Sommer | Herbst | Winter

**unbestimmter Artikel im Akkusativ: *(k)einen, (k)ein, (k)eine***

| | | |
|---|---|---|
| Er will | einen/keinen | Computer. |
| Wir kaufen | ein/kein | Geschenk. |
| Wir machen | eine/keine | Party. |
| Wir schenken | -----/keine | Karten. |

***lieber***
- Tom will keinen Fußball. Er will lieber ein Handy.
- Mia will keine Party. Sie will lieber ein Computerspiel.

**Familie**
- die Großeltern: der Opa (der Großvater) + die Oma (die Großmutter)
- die Eltern: der Vater (Papa) + die Mutter (Mama)
- der Onkel, die Tante
- die Geschwister: der Bruder, die Schwester

**Haustiere**
- der Hund | die Katze | der Fisch | der Hamster | das Pferd | der Papagei
- Ein Hund kann bellen. | Eine Katze mag Fisch. | Der Fisch kann schwimmen. | Der Hamster schläft den ganzen Tag. | Das Pferd kann schnell laufen und frisst Gras. | Der Papagei kann fliegen.

Wann ist die Party?
Ich danke euch!
Feier schön!

## Noch einmal, bitte

**Geburtstag**
Wie feiert ihr Geburtstag?
Schreibt vier Sätze.

**gratulieren**
Gratuliert zum Geburtstag.

**Monate**
Nennt die 12 Monate.

**Jahreszeiten**
Wie heißen die Jahreszeiten?

**Akkusativ**
Ergänzt die Sätze.
Er will …
Wir kaufen …
Wir schenken …
Er hat …

***lieber***
Was will Tom? Was will Mia?
Tom: ~~Fußball~~ Handy
Mia: ~~Party~~ Computerspiel

**Familie**
Beschreibt eure Familie.
*Ich habe einen Opa und zwei Omas. Ich …*

**Haustiere**
Wer kann was?

*Feier schön!*

# 11

**Wir lernen:**
Geschäfte | Lebensmittel | nach Preisen fragen | etwas bestellen | sagen, was man (nicht) gern isst | Maße
Verben *mögen* und *brauchen* | *für* + Akkusativ

# In der Stadt

## 1 Beim Einkaufen

**a Wo ist das? Ordnet die Wörter den Fotos zu.**

im Supermarkt • im Buchladen • auf dem Markt •
im Kaufhaus • in der Bäckerei • im Fastfood-Restaurant

*Nummer 1 ist im Fastfood-Restaurant.*

2.11

**b Hört die Gespräche.
In welchem Geschäft sind die Personen?**

*Gespräch 1 ist im …*

**c Hört noch einmal. Was kaufen die Personen wo?
Macht eine Tabelle im Heft und ordnet zu. Ergänzt dann weitere Wörter.**

| im Supermarkt | im Buchladen | auf dem Markt | im Kaufhaus | in der Bäckerei | im Fastfood-Restaurant |
|---|---|---|---|---|---|
| *Milch* | | *Bananen* | | | |

Butter, Apfel-Kuchen, Bananen, Brötchen, Cola, DVD, Brot, Eier, Hamburger, Kaffee, Kartoffeln, Milch, Wörterbuch, Salat

**d Übersetzt die Wörter aus 1c in eure Sprachen. Sind die Wörter ähnlich?**

## 2 30 Euro Taschengeld

2.12

**a Hört zu. Wie viel kosten die Sachen? Schreibt ins Heft.**

*Flugzeug 16,80 Euro.*

**b Ihr habt zusammen 30 Euro.
Überlegt zu zweit: Was kauft ihr von Aufgabe 2a?**

**c Macht Karten mit Preisen und Sachen.
Sprecht zu zweit wie im Beispiel.**

## 3 Wie viel kostet ...?

**a Schreibt das Gespräch ins Heft. Der Kasten hilft.**

- ● Entschuldigung. Können Sie mir helfen?
- ○ Ja, gern.
- ● ...
- ○ Moment. Hier ist sie.
- ● Danke schön. ...
- ○ 13 Euro und 80 Cent.
- ● Gut, ich nehme sie. ...
- ○ Die Kasse ist dort.
- ● ...
- ○ Auf Wiedersehen.

> Wo kann ich bezahlen? •
> Ich suche die DVD „Fluch der Karibik". •
> Vielen Dank. Auf Wiedersehen. •
> Wie viel kostet sie?

2.13

**b Hört das Gespräch und kontrolliert eure Lösung.**

**c Spielt weitere Gespräche zu zweit.**

- das Buch „Ostwind" / es / 10,95 Euro
- die CD „Melodie" von Cro / sie / 12,50 Euro

## 4 Essen in der Stadt

### a Bringt die Geschichte in die richtige Reihenfolge.

A
Ich habe keinen Hunger mehr, danke. Ich möchte nur eine Flasche Mineralwasser!
Gut, also, eine Flasche Mineralwasser, einen Tomatensaft und einen Tee. Na dann. Guten Appetit!
Ich habe auch nur Durst. Für mich bitte einen Tomatensaft und einen Tee.

B
Hallo! Was möchtet ihr?
Drei Hamburger, zwei Gläser Cola und ein Tasse Kakao, bitte. Und du, Nadja?
Robbie!!!

C
Ähm … vielleicht nimmst du einen Salat oder eine Gemüsesuppe?

D
Na gut. Dann für mich nur vier Stück Pizza.
Robbie, das ist genug! Nicht so viel!!!

E
Ähm … Nur ein Stück Pizza?
Also, ich weiß nicht!


### b Spielt das Gespräch zu dritt.

Was möchtet ihr?
Ich möchte eine Flasche Wasser und …



## 5 Was magst du?

### a Macht eine Hit-Liste mit euren Lieblingsgerichten an der Tafel.

| | |
|---|---|
| Hamburger | 𝍸 I |
| Pommes mit Ketchup | IIII |
| Würstchen | III |

Hm, Wurst! Lecker!

### b Was mögt ihr? Was mögt ihr nicht? Sprecht zu dritt.

| ☺ | ☹ |
|---|---|
| Ich mag …<br>Ich esse gern … / Lecker!<br>Ich liebe … / Mir schmeckt … | Ich esse nicht so gern …<br>Ich mag kein …<br>Igitt! |

**mögen**

Was **magst** du? – Ich **mag** …
Was **magst** du nicht? – Ich **mag** keinen/kein/keine …

## 6 Pia und Paul kochen

**a Lest das Rezept. Was glaubt ihr? Sind Pfannkuchen süß oder salzig?**

Pfannkuchen (für 6 Personen)
Schmeckt gut mit Marmelade!
0,5 l Milch · 250 g Mehl · 30 g Zucker · 6 Eier · Salz

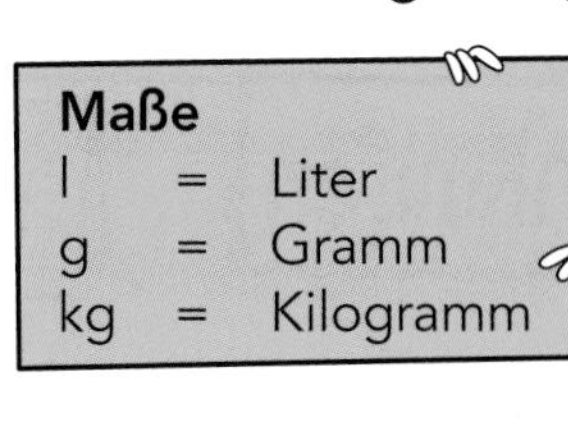

**Maße**
l = Liter
g = Gramm
kg = Kilogramm

2.14
**b Hört zu. Pia und Paul kaufen ein. Ergänzt die Sätze.**

Sie haben schon …  Sie brauchen noch …

**c Hört noch einmal. Was ist richtig?**

1. Paul findet Pia sauer wie Zitronen.
2. Paul findet Pia süß wie Zucker.

## 7 Im Supermarkt

**a Ihr wollt kochen. Was braucht ihr für …?**

1. Pfannkuchen (Pl.) 2. eine Pizza 3. ein Schokoladeneis 4. einen Obstsalat

Zucker • Tomaten • Mehl • Käse • Eier • Milch • Schokolade • Bananen • Äpfel • Orangen • Orangensaft • Marmelade

*Für Pfannkuchen braucht man Eier, Mehl und …*

**b Kennt ihr andere Gerichte? Sammelt in der Klasse.**

**c Macht eine Einkaufsliste zu den Gerichten in 7b und sprecht in der Gruppe.**

*Apfelkuchen*
*Äpfel, Mehl, Eier, Butter, Zucker*

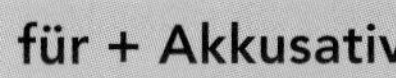

| für + Akkusativ | | |
|---|---|---|
| Für … | **einen** | Apfelkuchen … |
| | **ein** | Schokoladeneis … |
| | **eine** | Pizza … |
| | | Pfannkuchen … |
| braucht man … | | |

## 8 Projekt: Unser Lieblingsgericht

**Macht eine Foto-Kochgeschichte.**

Arbeitet in Gruppen und wählt ein einfaches Lieblingsgericht. ● Kocht es zu Hause oder in der Schulküche. ● Macht maximal 6 Fotos beim Kochen. ● Schreibt zu jedem Foto einen Satz. ● Bringt die Fotos in die Klasse mit. ● Die anderen bringen die Fotos in die richtige Reihenfolge.

Man braucht Kartoffeln, 3 Eier, …

## 9 *p – b, t – d, k – g*

2.15
**Haltet ein Blatt vor den Mund. Hört und sprecht die Sätze.
Was passiert mit dem Blatt bei Satz 1, 3 und 5?**

1. Plato mag Pommes aus der Pizzeria.
2. Das Buch und die Butter sind billig.
3. Die tollen Tomaten sind teuer.
4. Danke für die DVD.
5. Können Katzen Käse kaufen?
6. Ich esse gern gesundes Gemüse.

## 10 Stationen

**a Zu welchem Schild passen die Beispiele 1–4? Ordnet zu.**

einkaufen

Was magst du (nicht)?

Was kochen wir?

**1**
Entschuldigung!
Können Sie mir helfen?
Ich suche …
Wie viel kostet …?
Oh, das ist aber teuer/billig.
Den/Das/Die nehme ich (nicht).
Wo kann ich bezahlen?

… kostet … Euro.
Hier ist …
Vielen Dank!
Auf Wiedersehen!

**2**
Ich esse gern …
Mir schmeckt …
Ich mag/liebe …
Mhm, lecker. Das mag ich auch.

Ich esse nicht so gern …
Ich mag keinen/kein/keine …
Igitt. Das mag ich nicht!
Und du? Was magst du?

**3**
- ● Machen wir Pfannkuchen?
- ○ Nein. Ich mag keine Pfannkuchen.
- ● Okay, machen wir Schokoladeneis?
- ○ Einverstanden! Das ist gut!
- ● Wir brauchen Schokolade, Zucker und …

**4**
Guten Tag!
Was möchten Sie?
Für mich ein Stück …, bitte!
Ich möchte …
Und ein Glas / eine Tasse …, bitte.
Kommt sofort!
Hier, bitte schön!
Vielen Dank.

Zahlen, bitte!
Das macht … Euro.
Vielen Dank! Auf Wiedersehen!

**b Geht zu zweit an einen Tisch. Spielt die Situationen. Die Redemittel in 10a helfen.**

## Kannst du das schon?

**Geschäfte**
- im Supermarkt | auf dem Markt | im Buchladen | im Kaufhaus | in der Bäckerei | im Fastfood-Restaurant

**Lebensmittel**
- das Gemüse: der Salat, die Kartoffel, die Tomate
- das Obst: die Banane, der Apfel, die Orange
- die Wurst, der Käse, der Fisch, das Fleisch
- das Brot, das Brötchen, der Kuchen
- die Pizza, die Suppe, der Hamburger, die Pommes
- die Marmelade, das Eis, die Schokolade
- die Butter, das Mehl, der Zucker, das Salz, das Ei
- die Cola, das Mineralwasser, der Saft, die Milch, der Kaffee, der Kakao, der Tee

**nach Preisen fragen**
● Wie viel kostet das Buch?
○ Es kostet 8,50 Euro.
● Das ist wirklich billig. / Oh, das ist aber teuer.

**etwas bestellen**
- Ein Stück Pizza und ein Glas Cola, bitte.
- Ich möchte ein Glas Orangensaft und einen Hamburger.
- Für mich eine Tasse Kakao, bitte.

**sagen, was man (nicht) gern isst**

| ☺ | ☹ |
|---|---|
| Ich mag ... | Ich mag kein ... |
| Ich esse gern ... | Ich esse nicht so gern ... |
| Ich liebe ... | |
| Mir schmeckt ... | |

**Maße**
- l = der Liter | g = das Gramm | kg = das Kilogramm

***für* + Akkusativ**
Für einen Apfelkuchen braucht man Äpfel, Mehl, Eier, Butter und Zucker.
Für ein Schokoladeneis braucht man Milch, Kakao und Zucker.
Für eine Pizza braucht man Mehl, Wasser, Tomaten und Käse.
Für Pfannkuchen braucht man Mehl, Eier, Milch, Zucker und Salz.

Guten Appetit!
Zahlen, bitte!
Lecker!
Igitt!

## Noch einmal, bitte

**Geschäfte**
Wo kauft ihr ein?
Nennt zwei Geschäfte.

**Lebensmittel**
Nennt möglichst viele Lebensmittel.

**nach Preisen fragen**
Fragt und antwortet.
- das Buch: 7,99 €
- die DVD: 8,95 €
- der Fußball: 15,45 €

**etwas bestellen**
Bestellt euch:
- 1 Stück Pizza + 1 Glas Cola
- 1 Hamburger + 1 Glas Orangensaft

**(nicht) gern essen**
Nennt je drei Dinge.
☺ ☹

**Maße**
Was ist das?
l g kg

***für* + Akkusativ**
Was braucht ihr für ...
- Apfelkuchen?
- Schokoladeneis?
- Pizza?
- Pfannkuchen?

*Guten Appetit!*

# 12

**Wir lernen:**
ein Programm verstehen | über Kleidung sprechen | Farben | eine Geschichte erzählen
Verben mit Dativ | Personalpronomen im Dativ: *mir, dir …* | Fragen mit *welcher, welches, welche*

# Unser Schulfest

## 1 Das Programm

2.16 **a Hört das Gespräch und ergänzt das Programm im Heft.**

**Schulfest**

| Wann? | Was? | Wo? |
|---|---|---|
| 16 Uhr | …, Saft und Cola | auf dem … |
| … | Anton zaubert | in Raum 12 |
| 18 Uhr | Videoclips | in der … |
| … | … | in der Turnhalle |
| 20 Uhr | … | … |

*Um 16 Uhr gibt es Pizza, Saft und Cola auf dem …*

**b Präsentiert das Programm.**

## 2 Wer macht was?

**a Welche Gruppen gibt es?**

Gruppe 1: Plakat und Dekoration
Gruppe 2: …
Gruppe 3: …

**b Was machen die Gruppen?**

| | | |
|---|---|---|
| Die Gruppe 1<br>Die Gruppe 2<br>Die Gruppe 3 | organisiert<br>malt<br>macht<br>kauft<br>dekoriert | die Pizza.<br>Papier und Farben.<br>die Turnhalle.<br>die Musik.<br>Saft und Cola.<br>Plakate. |

*Die Gruppe 1 malt die Plakate und …*

## 3 Stress in der Turnhalle

### a Seht die Bilder an und lest die Texte. Was passt zusammen?

*Text A passt zu Bild …*

*A*
„Nadja, hilf uns bitte!", ruft Pia von der Leiter. „Tut mir leid. Ich kann jetzt nicht. Ich muss Robbie helfen. Tschüüüüs!"
Nadja geht weg. Pia und Kolja sind sauer.

*B*
Pia, Nadja und Kolja sind in der Turnhalle. Nadja hängt Plakate auf. Kolja und Pia stehen auf einer Leiter und dekorieren die Turnhalle. Pia sagt: „Hilf ihm bitte!"

*C*
Dann kommt Robbie in die Turnhalle. „Hallo Robbie!", ruft Nadja. „Gefällt dir die Dekoration?"
Robbie antwortet: „Ähm, ja, ja, ganz hübsch. Ich mache jetzt den Sound-Check. Hilfst du mir?" „Klar!"

*Nach „helfen" kommt immer der Dativ.*

### b Wer ist *ihm*, *mir* und *uns*? Wählt A oder B.

1 *Bild 1*

*Hilf **ihm** bitte!*

A 

B 

2 *Bild 2*

*Hilfst du **mir**?*

A 

B 

3 *Bild 3*

*Nadja, hilf **uns** bitte!*

A 

B 

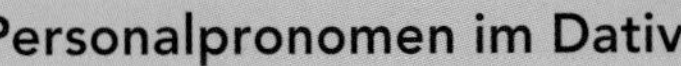

| Personalpronomen im Dativ | |
|---|---|
| ich | Tut **mir** leid! |
| du | Gefällt **dir** die Dekoration? |
| er/es/sie | Hilf **ihm/ihm/ihr**! |
| wir | Tut **uns** leid! |
| ihr | Ich helfe **euch**. |
| sie/Sie | Kann ich **ihnen/Ihnen** helfen? |

### c Findet ihr noch mehr Verben mit Dativ in 3a?

### d Seid ihr netter als Nadja oder nicht? Schreibt Gespräche mit verschiedenen Pronomen wie im Beispiel. Spielt die Gespräche mit vielen Gesten.

1. ● Hilfst du mir bitte?
○ Klar, ich helfe dir!

2. ● Helft ihr uns?
○ Nö, tut uns leid. Wir helfen euch nicht.

## 4 Was ziehst du an?

**a Lest die Texte und ordnet die Sprechblasen den Personen zu.**

Ich habe meinen eigenen „Style"! Ich ziehe an, was ich mag. Modische Kleidung finde ich doof!
Ich trage gern Kleider und Pullover und manchmal einen Mantel und einen Hut.

**Nicoletta** ★★★

Ich mag modische Kleidung. Ich trage gern Blusen und Jeans. Mit meiner Freundin Emma gehe ich oft zum Shopping. Wir probieren Blusen, Hosen oder Jacken. Aber wir kaufen nichts. „Augenshopping" sagt meine Freundin.

**Lisa** ★★★

Ich mag bequeme Kleidung! Ich ziehe immer Jeans und T-Shirts an. Dazu trage ich Sportschuhe.
Ach ja, Kapuzen-Sweatshirts mag ich auch.

**Jakob** ★★★

*1. Ich ziehe Jeans und ein Sweatshirt an. Das ist bequem.*

*2. Was ziehe ich bloß zum Schulfest an? Wie immer, eine Bluse und eine Jeans? Ich weiß nicht ...*

*3. Zum Schulfest ziehe ich ein Kleid an – und vielleicht einen Hut!*

**b Lest die Texte noch einmal und sammelt die Kleidungsstücke.**

**c Was zieht ihr gern an? Sprecht zu zweit. Dann schreibt jeder einen kurzen Text über das Thema.**

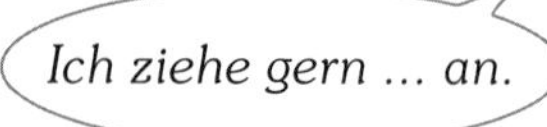


*Ich mag ...*

*Ich trage auch gern ...*

## 5 Blau, rot, gelb ...

2.17

**a Hört die Farben und lest mit. Übersetzt sie dann in eure Sprachen. Sind die Wörter ähnlich?**

schwarz

grau

blau

grün

weiß

rot

gelb

braun

**b Beschreibt einen Schüler in der Klasse. Die anderen raten.**

*Seine Hose ist schwarz, sein Pullover ist blau. Wer ist das?*

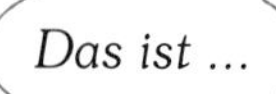

## 6 Bist du fertig?

### a Was zieht Nora an? Hört das Gespräch und notiert im Heft.

2.18

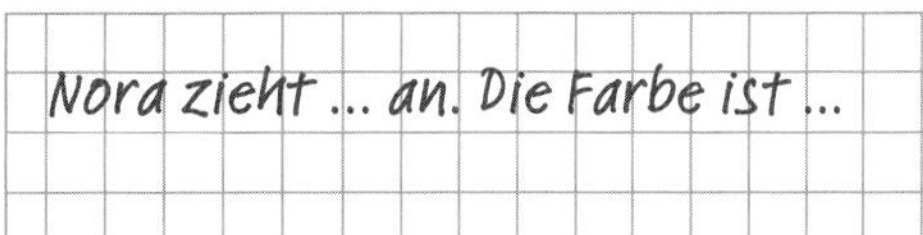
Nora zieht ... an. Die Farbe ist ...

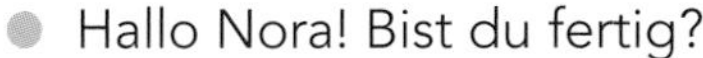

- ● Hallo Nora! Bist du fertig?
- ○ Nein! Was ziehe ich bloß an?
- ● Mach schnell. Das Schulfest beginnt gleich …
- ○ Wie gefällt dir das Kleid?
- ● Nicht so gut. Zieh lieber eine Hose an.
- ○ Welche Hose?

…

**Fragen mit welcher, welches, welche**

| | | |
|---|---|---|
| der | **Welcher** | Pullover? |
| das | **Welches** | Kleid? |
| die | **Welche** | Hose? |
| die | **Welche** | Pullover/Kleider/Farben? |

### b Kurz vor dem Schulfest. Jeder wählt zwei bis drei Kärtchen und malt sie an. Spielt dann zu zweit Gespräche.

- ● Welche Hose gefällt dir?
- ○ Die Hose hier.
- ● Rot?
- ○ Ja, Rot gefällt mir.
- ● Und welches T-Shirt passt dazu?
- ○ Das T-Shirt hier.
- ● Grau?
- ● Ja, Grau passt. Komm wir gehen.

WOW

## 7 Projekt: Fashion-Guide

### Macht einen Fashion-Guide für Otto und Marlene.

Arbeitet in Gruppen und sucht euch eine Person aus. ● Was kann die Person in der Schule, auf einer Party und beim Training tragen? ● Malt, schneidet aus, fotografiert oder bringt Kleidung für eure Person mit. ● Präsentiert eure Ergebnisse in der Klasse.

*In der Schule kann Otto … tragen. Dazu passt … Auf einer Party …*

Marlene
Otto
Was ziehe ich bloß an?

**eu – au**
*Du liest und schreibst eu,*
*du hörst und sprichst oi.*
*Du liest und schreibst au,*
*du hörst und sprichst au.*

## 8 *eu – au*

2.19

### Hört zu und sprecht mit.

- neu, heute, Freund/Freundin, Europa, Flugzeug, deutsch, euch
- Meine neue Freundin fliegt heute mit dem Flugzeug nach Europa.
- Aufgabe, aus, Auto, blau, Haus, laufen
- Die Schule ist aus, ich laufe nach Hause und mache meine Hausaufgaben.

## 9 Auf dem Schulfest

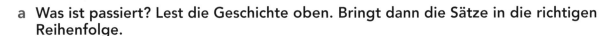

*Wo ist Pia?*
*Pia ist nicht hier. Die ist bei Robbie in der Turnhalle.*
*Hallo Anton. Wo ist Paul?*
*Abrakadabra … Paul ist auf dem Schulhof …*
*Ist Pia auch hier?*
*Keine Ahnung! … Ach, Robbie ist spitze!*
PIZZA
*Wo ist denn Paul?*
*Der ist schon weg.*
*Quatsch! Hier ist doch sein Skateboard.*
*Ach, hier seid ihr! Hast du noch Pizza?*
*Klar!*

**a Was ist passiert? Lest die Geschichte oben. Bringt dann die Sätze in die richtigen Reihenfolge.**

A Pia sucht Paul. Sie fragt Anton: „Wo ist Paul?"
B Pizza gut – alles gut! Es gibt ein Happy End.
C Pia findet Paul und Plato. Sie sind auf dem Schulhof und essen Pizza.
D Pia geht zum Pizzastand. Sie sieht das Skateboard von Paul.
E Paul sucht Pia. Er fragt Kolja: „Wo ist Pia?"
F In der Turnhalle spielen Robbie und seine Band. Nadja weiß nicht, wo Pia ist.

**b Erzählt die Geschichte ohne Buch.**

## Kannst du das schon?

### ein Programm verstehen
- Um 17 Uhr zaubert Anton in Raum 12.
- Um 18 Uhr gibt es Videoclips in der Cafeteria.
- Um 19 Uhr spielen Robbie und seine Band in der Turnhalle.

### Dativ
- helfen, leidtun, gefallen
- ● Hilfst du mir bitte?
  ○ Klar, ich helfe dir!
- ● Helft ihr uns?
  ○ Nö, tut uns leid. Wir helfen euch nicht.

### Farben
- schwarz | grau | blau | grün | weiß | rot | gelb | braun

### über Kleidung sprechen
- das T-Shirt | der Pullover | das Sweatshirt | die Bluse
  die Jeans | die Hose | das Kleid | der Mantel | die Jacke |
  der Hut
- Meine Hose ist schwarz. Mein T-Shirt ist blau.
  Meine Jacke ist grau.

### Fragen mit *welcher, welches, welche*
- ● Welcher Mantel gefällt dir?
  ○ Der Mantel hier.
- ● Und welches T-Shirt passt dazu?
  ○ Das T-Shirt hier.
- ● Und welche Hose gefällt dir?
  ○ Die Hose hier.
- ● Und welche Schuhe passen dazu?
  ○ Die Schuhe hier.

### eine Geschichte erzählen



1. Paul sucht Pia. Er fragt Kolja: „Wo ist Pia?"
2. Pia sucht Paul. Sie fragt Anton: „Wo ist Paul?"
3. Pia findet Paul und Plato. Sie sind auf dem Schulhof und essen Pizza.
4. Pizza gut – alles gut. Es gibt ein Happy End.

Was ziehe ich bloß an?
Rot steht dir.

## Noch einmal, bitte

### ein Programm
Wann ist was?
- *17:00 Anton*
- *18:00 Videoclips*
- *19:00 Robbie + Band*

### Dativ
Spielt Gespräche.
- ● *helfen mir?* ○ ☺
- ● *helfen uns?* ○ ☹

### Farben
Nennt fünf Farben.

### Kleidung
Was trägst du heute?

### *welcher, welches, welche*
Mantel/T-Shirt/
Hose/Schuhe?
Was gefällt dir und was passt zusammen?
Spielt Gespräche.

### eine Geschichte erzählen
Erzählt die Geschichte von Pia und Paul.

Wo ist Pia?
Hallo Anton. Wo ist Paul?
Ach, hier seid ihr. Hast du noch Pizza?

Was ziehe ich bloß an?

# Grammatikübersicht

## Konnektoren: *und, oder, aber*

| | |
|---|---|
| **und** | Ich (bin) 13 Jahre alt. Ich (wohne) in Leipzig.<br>→ Ich (bin) 13 Jahre alt **und** (ich) (wohne) in Leipzig. |
| **oder** | (Ist) das richtig? (Ist) das falsch?<br>→ (Ist) das richtig **oder** (ist) das falsch? |
| **aber** | Ich (mag) Hunde. Ich (mag) keine Katzen.<br>→ Ich (mag) Hunde, **aber** ich (mag) keine Katzen. |

## Verben *mögen* und *brauchen*

| | **mögen** | **brauchen** |
|---|---|---|
| **ich** | **mag** | brauch**e** |
| **du** | **magst** | brauch**st** |
| **er/es/sie** | **mag** | brauch**t** |
| **wir** | mög**en** | brauch**en** |
| **ihr** | mög**t** | brauch**t** |
| **sie** | mög**en** | brauch**en** |
| **Sie** | mög**en** | brauch**en** |

## Artikelwörter im Akkusativ:

| **Nominativ** | ***der, das, die***<br>**Akkusativ** | | ***ein, eine*** | | ***kein, keine*** | |
|---|---|---|---|---|---|---|
| **der** | den | Magst du **den Kuchen**? | **einen** | Hast du **einen Apfel**? | **keinen** | Nein, ich habe **keinen Apfel**. |
| **das** | das | Opa kauft **das Geschenk**. | **ein** | Magst du **ein Ei**? | **kein** | Nein, ich mag **kein Ei**. |
| **die** | die | Pia sucht **die CD**. | **eine** | Isst du **eine Tomate**? | **keine** | Nein, ich esse **keine Tomate**. |
| **die** | **die** | Siehst du **die Kinder**? | – | Siehst du **Eier**? | **keine** | Wo? Ich sehe **keine Eier**. |

## Weitere Verben mit Akkusativ

| | |
|---|---|
| bekommen | Zum Geburtstag bekomme ich **ein Buch**. |
| besuchen | Heute besuche ich **einen Freund**. |
| brauchen | Wir brauchen **die Mathebücher**. |
| feiern | Wir feiern heute **den Geburtstag** von Plato. |
| finden | Ich finde **die CD** nicht. |
| hören | Hörst du **die Musik**? |
| lieben | Sie liebt **den Hund Plato**. |
| machen | Ich muss noch **Hausaufgaben** machen. |
| reparieren | Sie repariert **das Fahrrad**. |
| schenken | Wir schenken Kolja **eine CD**. |
| singen | Wir singen **ein Lied**. |
| trinken | Er trinkt **einen Apfelsaft**. |

## Frageartikel: *welcher, welches, welche?*

| | |
|---|---|
| **der Pullover** | **Welcher** Pullover gefällt dir? |
| **das T-Shirt** | **Welches** T-Shirt gefällt dir? |
| **die Farbe** | **Welche** Farbe gefällt dir? |
| **die Schuhe** | **Welche** Schuhe passen dazu? |

## Personalpronomen im Dativ

| Nominativ | Dativ | |
|---|---|---|
| **ich** | **mir** | Tut **mir** leid. |
| **du** | **dir** | Gefällt **dir** die Musik? |
| **er/es**<br>**sie** | **ihm**<br>**ihr** | Hilf **ihm** bitte.<br>Hilf **ihr** bitte. |
| **wir** | **uns** | Können Sie **uns** helfen? |
| **ihr** | **euch** | Ich helfe **euch**. |
| **sie** | **ihnen** | Wir helfen **ihnen**. |
| **Sie** | **Ihnen** | Wir helfen **Ihnen**. |

**Verben mit Dativ**: leidtun, gefallen, helfen, stehen

## Präposition: *für* + Akkusativ

| | |
|---|---|
| **für** | **Für einen Apfelkuchen** braucht man Eier, Mehl, Zucker und Äpfel. |

# Tipps für die Prüfung

## 1 Prüfungsteil Lesen: Beschreibungen

**a Seht euch die Anzeige an und lest die Beschreibung. Wer ist das Mädchen? Macht Notizen im Heft.**

**Anzeige 1**

Hallo. Ich bin Nina und wohne in Leipzig. Ich bin 14 Jahre alt. Meine Hobbys sind Schwimmen und Lesen und ich spiele gern Klavier. Ich habe einen Bruder, eine Schwester und einen Hund. Mein Bruder und meine Schwester sind oft doof, aber mein Hund ist toll! Er hört gern Musik. Deshalb heißt er Mozart.

– *Name: Nina*
– *Alter: ...*
– *Stadt: ...*
– *Familie: ...*
– *Hobbys: ...*
– *Tiere: ...*

**b Lest die zweite Beschreibung. Wer ist der Junge? Macht Notizen im Heft.**

**Anzeige 2**

Ich heiße Maximilian und bin 13 Jahre alt. Meine Freunde nennen mich Max. Ich wohne mit meiner Mutter und meiner Schwester in Basel. Mein Vater wohnt in Zürich, aber ich besuche ihn oft. Er kann sehr gut kochen. Ich koche auch gern. Und ich spiele gern Fußball.

**c Lest jetzt die Prüfungsaufgaben. Was ist richtig, was ist falsch? Notiert im Heft.**

**Anzeige 1**

| | | | |
|---|---|---|---|
| 1 | Nina liest gern Bücher. | richtig | falsch |
| 2 | Nina hat zwei Geschwister. | richtig | falsch |
| 3 | Ihr Bruder hört gern Musik. | richtig | falsch |

**Anzeige 2**

| | | | |
|---|---|---|---|
| 1 | Max ist dreizehn Jahre alt. | richtig | falsch |
| 2 | Max wohnt in Zürich. | richtig | falsch |
| 3 | Max kocht gern. | richtig | falsch |

*1. richtig*

## 2 Prüfungsteil Sprechen: Fragen stellen und auf Fragen antworten

**a** **Was fällt euch zum Thema „Wohnen" ein? Sammelt an der Tafel.**

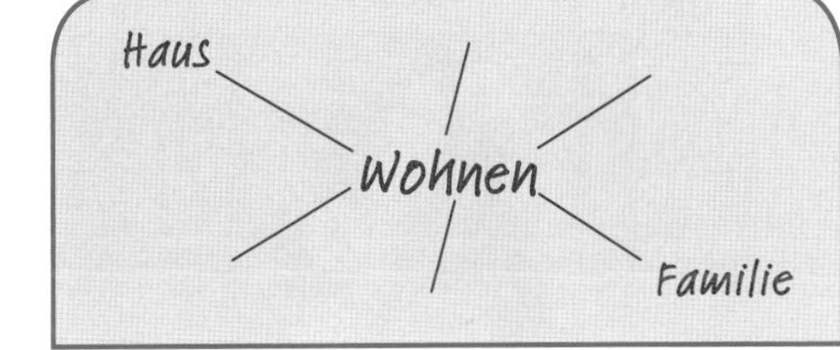


**b** **Schreibt vier Fragen zu den Wörtern aus 2a ins Heft. Lasst unter den Fragen zwei Zeilen frei für die Antwort.**

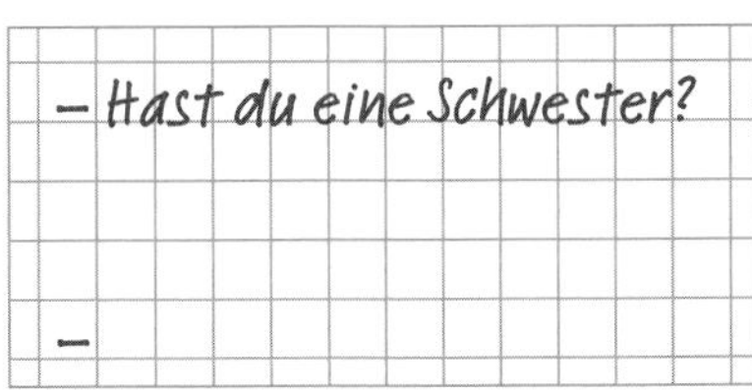


**c** **Tauscht eure Hefte. Schreibt die Antworten unter die Fragen von eurem Partner / eurer Partnerin.**

– Hast du eine Schwester?
– Ja, ich habe eine Schwester. Sie heißt Mona und ist 11 Jahre alt.

**d** **Arbeitet zu zweit. Jeder schreibt drei Wörter von der Tafel auf drei Kärtchen. Jetzt habt ihr sechs Kärtchen.**

**e** **Spielt zu zweit Prüfung: A fängt an, nimmt ein Kärtchen und fragt B. B antwortet. Dann nimmt B ein Kärtchen und fragt A.**

# Pinnwand

A

D

B

Milano il Duomo

E

Vienna Wien

G

F

C

NARODOWY BANK POLSKI

DZIESIĘĆ ZŁOTYCH

IF5406437

Vietnamesische Spezialitäten

V1 Phở Bò[4] sehr Beliebt in Vietnam, Reisbandnudelsuppe mit Rindfleisch, Koriander und Basilikum

V2 Gỏi Cuốn, 2 Stück[c,f,4,b,d] Reispapier gerollt mit Reisnudeln, Garnelen, Eier, Hühnerfl., Asia-Kräutern & Fischsauce

V3 Mì Vịt[4] Nudelsuppe mit gegrillter Ente, Pak Choi und Lauchzwiebeln

V4 Bún Chả Giò[c,4,b,d] Reisnudeln mit Frühlingsrolle, Asia-Kräutern und Fischsauce

V5 Bún Bò Nam Bộ[4,d] Reisnudeln mit gebratenem Rindfleisch, Asia-Kräutern und Fischsauce

V6 Mì Hoành Thánh[4,b] Nudelsuppe mit Wantan, Pack Choi und Garnelen

V7 Bún Bò Lá Lốt[4,d] Rindfleisch gefüllt in Wildbetelblättern, Asia-Kräutern und Fischsauce, dazu Reisnudeln

V8 Mì Gỏi Tôm[4,b] Thai-Nudelsuppe mit Garnelen, Pak Choi und Asia-Kräutern

V9 Phở Xào Tôm[4,b] gebratene Reisbandnudeln mit Gemüse und Garnelen

Suppen

1 Peking Suppe[4,c] scharf-saure Suppe mit Fleisch, Eiern und Gemüse

2 Glasnudelsuppe[4] mit Hühnerbrust, Morcheln und Bambussprossen

3 Wan Tan Suppe[4,b] Maultaschen gefüllt mit Fleisch, Shrimps und Gemüse

4 Tom Yam Gung[4,b] scharf-saure Suppe mit Garnelen, Strohpilzen und Gemüse

5 Tom Yam Gai[4,b] scharf-sauer Suppe mit Hühnerbrust, Strohpilzen und Gemüse

6 Canh Chua Suppe[4,b] mit Garnelen, Ananas und Tomaten

7 Tom Kha Gai Suppe[4,b] mit Hühnerbrust, Strohpilzen und Kokosmilch

8 Tofu Miso Suppe[f,4] mit Tofu und Seetang

9 Vegetarische Suppe[f,4] mit Gemüse und Tofu

Vorspeisen

10 Gebackene Hummerkrabben[4,b] mit Chilisauce

11 China Frühlingsrolle[4] (1 Stk.) gefüllt mit Hühnerfleisch, Gemüse und Chilisauce

12 Vietnam Frühlingsrolle[c,4] (2 Stk.) gefüllt mit Hackfleisch Glasnudeln, Morcheln, Gemüse und Chili

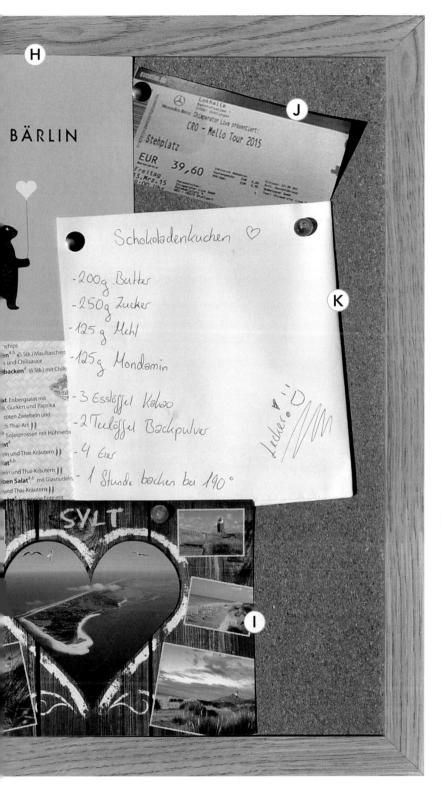

## 3 Das Lieblingsding

**a** **Zu welchem Thema passen die Dinge auf der Pinnwand? Warum?**

Essen:
Musik:
Reisen: B, ...

*B passt zu Reisen. Das ist eine Postkarte.*

**b** **Ergänzt in Gruppen typische Dinge aus eurem Land zu den Themen aus 3a.**

*Paella ist typisch in Spanien.*

2.20 **c** **Hört das Gespräch zwischen Sofia und Marc. Was ist Sofias Lieblingsding an der Pinnwand? Warum?**

## 4 Eure Pinnwand

**a** **Macht ein Poster mit mindestens fünf Dingen und einem Lieblingsding. Hängt die Poster auf. Ratet in der Klasse: Welche Pinnwand ist von wem?**

**b** **Sucht euch einen Partner / eine Partnerin. Sprecht über eure Poster: Was ist das Lieblingsding? Warum?**

# 13

**Wir lernen:**
über Ferien sprechen | einen Weg beschreiben | Grüße aus den Ferien schreiben | Wetter
Wohin? – *nach Italien, zu meiner Oma, an den See, in die Berge* | Wohin? – *in* + Akkusativ, *zu* + Dativ | *es* | Präteritum *war, hatte*

# Endlich Ferien!

## 1 Pia fährt nach ...

2.21 **a Seht die Bilder an und überlegt: Wohin fährt Pia? Wählt aus und hört dann zur Kontrolle.**

Pia fährt ...
1. nach Spanien. 2. nach Italien. 3. in die Türkei.

**b Endlich Urlaub: In welche Städte oder Länder fährt/fliegt man bei euch gern?**

| **Wohin? – Länder, Städte, Kontinente** | |
|---|---|
| **nach** | Spanien, Italien, Madrid, Europa, Asien |
| **in die** | Türkei, USA, Schweiz |

## 2 Urlaubsfotos

**a Welches Foto ist von wem?**

*Ans Meer = an + das Meer.*

2.22 **b Wohin fahren die Personen? Hört zu und ergänzt.**

ans Meer • in die Berge • an den Bodensee • zu seiner Oma

| Frau Müller | Kolja | Paul | Nadja |
|---|---|---|---|
| in die ... | | | |

**Wohin? – Personen, Wasser, Berge ...**

| | |
|---|---|
| **zu** | **zu** meinem Opa/Onkel ... <br> **zu** meiner Oma/Tante ... |
| **an** | **an** den Bodensee <br> **ans** Meer <br> **an** die Nordsee |
| **in** | **in** die Berge |

## 3 Wohin fährt Plato?

**a Seht das Bild an und sprecht in der Klasse.**

Vielleicht fährt Plato ...

**b Wohin wollt ihr in den Ferien fahren?**

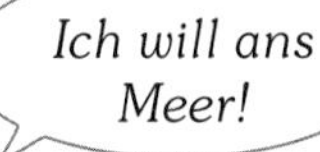
Ich will ans Meer!

*Wir wollen nach New York.*

## 4 Was machst du in den Ferien?

**a Lest Gespräch 1, ergänzt Gespräch 2 im Heft. Spielt dann die Gespräche.**

Gespräch 1:
- ● Wohin fährst du in den Ferien?
- ○ Meine Eltern und ich fahren nach Österreich, an den Neusiedler See.
- ● Und was macht ihr da?
- ○ Wir campen. Und was machst du?
- ● Ich fahre nach Balkonien.
- ○ Wo liegt denn das?
- ● Quatsch! Ich fahre nicht weg. Ich bleibe zu Hause.

Gespräch 2:
- ● Wohin fährst du in den Ferien?
- ○ Wir machen eine Reise ... Griechenland. Wir fliegen ... Mittelmeer, ... Athen.
- ● Toll! Was macht ihr da?
- ○ Von Athen fahren wir mit dem Schiff ... Naxos. Und was machst du?
- ● Ich fahre ... meiner Oma.

**b Schreibt und spielt Gespräche in der Klasse.**

- ● Ferien: Wohin?
- ○ Österreich / USA / Oma / ...
- ● Was?
- ○ campen / New York ansehen / wandern / ... Und du?
- ● Nordsee, schwimmen / Schweiz, Fahrradtour machen / zu Hause bleiben, ...

- ● *Wohin fährst du in den Ferien?*
- ○ *Ich fahre in die USA.*
- ● *...*

## 5 Projekt: Traumurlaub

**Präsentiert euren Traumurlaub.**

Arbeitet in Gruppen und überlegt: Wie sieht euer Traumurlaub aus? ● Sammelt Bilder und Fotos aus Magazinen und aus dem Internet. Klebt sie auf ein Plakat und schreibt kurze Sätze unter die Bilder. ● Präsentiert euren Traumurlaub in der Klasse. ● Jeder Schüler / Jede Schülerin bekommt ein Kärtchen mit 👍 („Gefällt mir"). Nach allen Präsentationen klebt es jeder Schüler / jede Schülerin auf eine Präsentation (aber nicht auf seine eigene). ● Wer hat die meisten 👍?

*Wir fahren ans Meer. ...*

## 6 Ein Ferientag zu Hause

**a Was gibt es in der Stadt? Seht den Stadtplan an und macht eine Liste an der Tafel. Vergesst den Artikel nicht.**

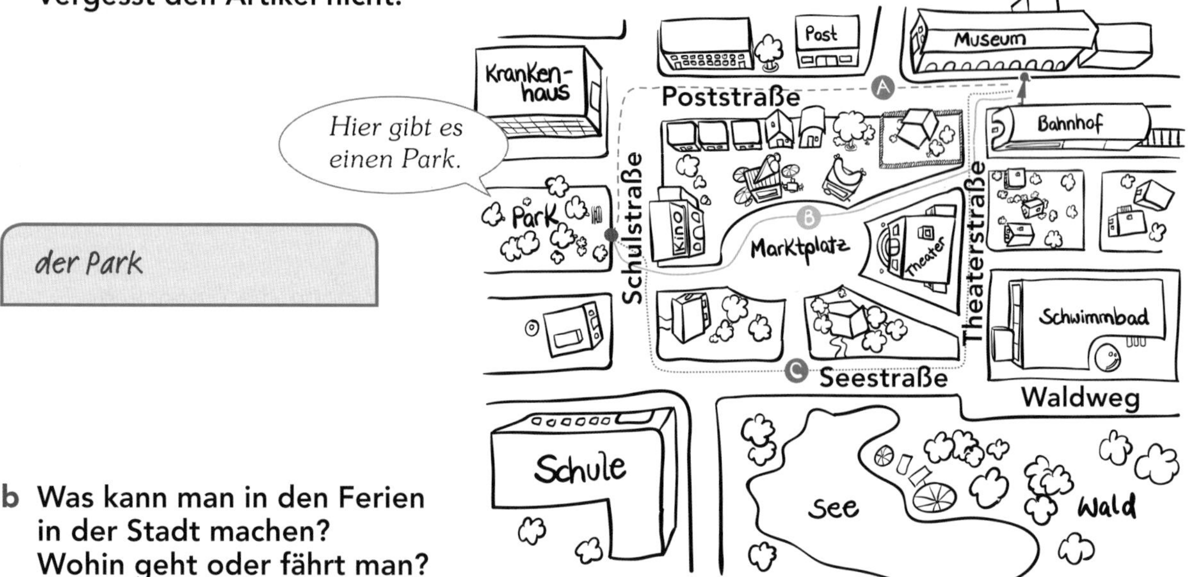


**b Was kann man in den Ferien in der Stadt machen? Wohin geht oder fährt man? Sammelt an der Tafel.**

| *Was?* | *Wohin?* |
|---|---|
| *Eis essen* | *ins Eiscafé* |
| *ein Picknick machen* | *in den Park* |
| … | … |

**Wohin? – in + Akkusativ**

**in** den Park
**ins** Eiscafé
**in** die Schule

**c Wohin kann man bei euch in den Ferien gehen oder fahren?**

*Bei uns kann man ins Schwimmbad gehen. Oder in den Wald. Dort kann man …*

## 7 Kommst du mit in den Park? Kommst du mit zum See?

2.23

**a Lara ist neu in der Stadt. Hört das Gespräch und seht den Plan in 6a an. Welchen Weg zum Park beschreibt Sophie? A, B oder C?**

links geradeaus rechts

**b Lest die Wegbeschreibung. Beschreibt dann zu zweit den Weg zum Kino und zum See.**

Wie komme ich zum Schwimmbad? Bin am Bahnhof.

Du gehst geradeaus zur Theaterstraße. Dann gehst du links und dann geradeaus. Das Schwimmbad ist links.

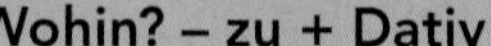

**Wohin? – zu + Dativ**

**zum** See
**zum** Schwimmbad
**zur** Theaterstraße

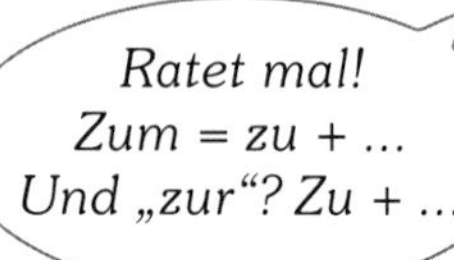

# 8 Grüße aus den Ferien

## a Lest die Nachrichten. Wer schreibt was?

A

Lieber Herr Schulze,

vielen Dank für Ihren Tipp! Sie haben recht, die Schweiz ist wirklich sehr schön.
Hier ist es warm und das Hotel ist gemütlich.
Ich gehe jeden Tag in die Berge.
Ach ja: das Käsefondue schmeckt sehr lecker!
Bis September!

Herzliche Grüße
Ihre ...

B

Lieber Paul,
Rom ist toll! Und das Kolosseum ist sehr interessant.
Ich mache viele Fotos!
Es ist total heiß und ich esse jeden Tag ein Kilo Eis.
Ich habe fast kein Taschengeld mehr!
Wie geht es Dir bei Deiner Oma?
Was machen die Tiere? ☺
Deine ...

C

*Hallo Paula,*

*meine Ferien sind voll gechillt! Das Wetter ist schön und das Essen schmeckt prima! Es gibt hier einen super Campingplatz! Die Leute sind nett, wir lachen viel und wir machen jeden Tag eine Party!!!*
*Leider ist mein Gepäck weg: kein Rucksack, kein Pullover, keine Jacke, kein Handy. Aber hier brauche ich nur meine Badehose, Jeans und T-Shirt.*

*Bis bald*
*Dein ...*

*Nachricht A ist von ...*
*Er/Sie macht Ferien in ...*
*Das Wetter ist ...*

## b Wählt aus und schreibt Grüße aus den Ferien ins Heft.

**Ferien**
Die Ferien sind toll und mir geht es sehr gut! ☺ ☺
Die Ferien sind okay. ☺
Die Ferien sind nicht so schön und es geht mir schlecht! ☹

**Wetter**
Es regnet.
Es ist kalt.
Es ist schön.
Es ist heiß.
Es ist warm.
Die Sonne scheint.

**Essen**
Das Essen schmeckt prima.
... schmeckt nicht schlecht.
... schmeckt gar nicht.

**Leute**
Es sind nur junge Leute da.
Es gibt hier nur alte Leute.
Er/Sie ist total nett.

**Freizeit**
Ich bin immer am Meer.
Endlich Zeit zum Lesen.
Es gibt viele Discos.
Es ist total langweilig hier.

**Schluss**
Viele Grüße
Dein/e ...
Ihr/e ...

*Hallo ...,*
*die Ferien sind ...*

**es**

**Es** ist sehr schön.
**Es** ist heiß. / **Es** regnet.
Wie geht **es** dir?
**Es** geht mir gut.
**Es** gibt hier viele junge Leute.
**Es** sind nur alte Leute da.

## 9 Grüße aus Balkonien

**a Hanna berichtet von ihren Ferien. Seht die Fotos an und lest die E-Mail: Was stimmt nicht?**

Wie unromantisch! Immer nur zu Hause sein …

Regen – Regen – Regen!

Hallo Alex!
Ich hatte super Ferien!
Ich war in Italien.
Wir hatten ein Hotel in Venedig.
Es war sehr romantisch!
Wir hatten super Wetter.
Es war sehr heiß und ich war den ganzen Tag im Pool!
Am Abend waren meine Schwester und ich immer in der Disco.
Und am Ferienende war eine Superparty!
Ich hatte viel Spaß.
☺ Hanna

Schon wieder auf dem Spielplatz!

Lach doch mal!

*Hanna hatte keine super Ferien. Sie war nicht in Italien. Sie war zu Hause! Das Wetter war …*

**b In den Ferien, nach den Ferien: Ergänzt an der Tafel und schreibt die Sätze ins Heft.**

| In den Ferien | Nach den Ferien |
| --- | --- |
| Ich <u>habe</u> super Ferien. | Ich <u>hatte</u> super Ferien. |
| Ich <u>bin</u> in Italien. | Ich <u>war</u> in Italien. |
| Wir <u>haben</u> ein Hotel mit Pool. | Wir … |
| Es <u>ist</u> sehr heiß. | |
| Wir <u>sind</u> in der Disco. | |

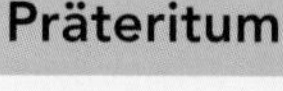

**Präteritum**

| | sein | haben |
| --- | --- | --- |
| ich | war | hatte |
| du | warst | hattest |
| er/es/sie | war | hatte |
| wir | waren | hatten |
| ihr | wart | hattet |
| sie/Sie | waren | hatten |

## 10 s – ss – ß – sch

2.24

**a Hört zu und sprecht die Sätze nach.**

e**s**, hei**ß**, i**s**t, Kolo**ss**eum …
E**s** i**s**t hei**ß** im Kolo**ss**eum.

**s**ehr, **S**uppe, **S**u**s**i, **s**uper …
**S**u**s**i mag **s**ehr gern **S**uppe.
**S**uppe ist **s**uper!

**Sch**uhe, **Sch**ule, **Sch**wester …
Nach der **Sch**ule kauft meine **Sch**wester **Sch**uhe.

**b Wie spricht man die s-Laute in euren Sprachen? Gibt es Regeln?**

## Kannst du das schon?

**Wohin? – *nach, zu, an, in***
- Ich fahre in den Ferien ...
  ... nach Italien/Rom.
  ... in die Türkei / in die USA / in die Berge.
  ... zu meinem Opa / meiner Oma.
  ... an den Bodensee / ans Meer / an die Nordsee.

**über Ferien sprechen**
- ● Wohin fährst du in den Ferien?
  ○ Meine Eltern und ich fahren nach Österreich, an den Neusiedler See.
  ● Was macht ihr da?
  ○ Wir campen. Und was machst du?
  ● Ich fahre an die Nordsee. Wir wollen schwimmen und eine Fahrradtour machen.

**Ferien in der Stadt**
- der Marktplatz | das Museum | der Bahnhof | das Schwimmbad | der See | das Kino | das Theater | das Eiscafé | der Park | der Wald | das Krankenhaus | die Schule | die Post
- Ich gehe heute ...
  ... in den Park / ins Schwimmbad / in die Schule.

**einen Weg beschreiben**
- links | rechts | geradeaus
- ● Wie komme ich zum Park / zum Schwimmbad / zur Schule?
  ○ Du gehst geradeaus zur Theaterstraße.
  Dann gehst du links und immer geradeaus.
  Das Schwimmbad / Der Park / Die Schule ist links.

**Wetter**
Es regnet.
Die Sonne scheint.
Es ist kalt/heiß/warm.
Es / Das Wetter ist schön.

**Präteritum *war, hatte***
- Ich hatte tolle Ferien. Ich war in Italien. Wir hatten ein Hotel in Venedig. Es war sehr romantisch. Wir hatten super Wetter und die Leute waren alle nett. Ich hatte viel Spaß.

- Ich fahre nach Balkonien.
- Ich esse jeden Tag ein Kilo Eis.
- Voll gechillt!

## Noch einmal, bitte

**Wohin?**
Wohin fahrt ihr?
*Wir fahren*
*... Spanien, ... New York,*
*... USA, ... Oma, ... Onkel,*
*... Meer.*

**über Ferien sprechen**
Sprecht über eure Ferien.
● *Wohin?* ○ *Nach ...*
● *Was?* ○ *... Du?*
● *Ich fahre ...*

**Ferien in der Stadt**
Nennt möglichst viele Orte und Aktivitäten in der Stadt.

**Weg beschreiben**
Beschreibt den Weg zum Schwimmbad.
*Schwimmbad?*
↑ zur Theaterstraße
↰ + dann ↑
Schwimmbad ↰

**Wetter**
Wie ist das Wetter?
3 °C
30 °C

**Präteritum *war, hatte***
Schreibt im Präteritum:
*Ich habe tolle Ferien. Ich bin in Italien. Wir haben ein Hotel in Venedig. Es ist sehr romantisch. Wir haben super Wetter und die Leute sind alle nett. Ich habe viel Spaß.*

*Voll gechillt!*

14

Wir lernen:
Körperteile | über Krankheiten sprechen | eine Geschichte erzählen | über Bewegung sprechen
Genitiv-s bei Eigennamen | Personalpronomen im Akkusativ: *mich, dich, …*

# Gute Besserung!

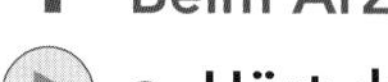

## 1 Beim Arzt

2.25

**a Hört das Gespräch. Wo hat Anton Schmerzen? Markiert an der Tafel.**

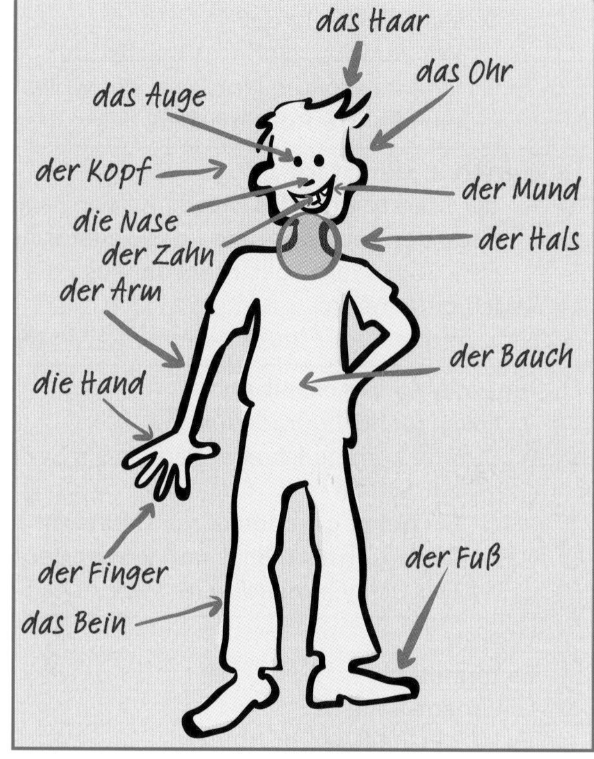


- ● Na, was fehlt dir denn?
- ○ Mein Hals tut weh.
- ● Sag mal ‚A'!
- ○ AAAAAA!
- ● Tut der Kopf auch weh?
- ○ Ja! Und meine Ohren tun auch weh!
- ● Aha.
- ○ Und ich habe Bauchschmerzen.
- ● Hast du die Schmerzen schon lange?
- ○ Ja. Muss ich ins Krankenhaus?
- ● Nein. Du musst nicht einmal in die Apotheke …

**b Was tut Anton weh? Sprecht in der Klasse.**

Was tut Anton weh?
Antons Ohren tun weh.
Was tut ihm noch weh?
Antons …


**Genitiv-s bei Eigennamen**

Anton**s** Ohren
Anton**s** Nase
Anton**s** Bauch

## 2 Schwierige Wörter aussprechen

2.26

**Hört zu und sprecht nach.**

| | | |
|---|---|---|
| Bauchschmerzen | die Bauchschmerzen | Hast du schon lange Bauchschmerzen? |
| Frühstücksbrötchen | das Frühstücksbrötchen | Magst du Wurst auf dein Frühstücksbrötchen? |
| Deutscharbeit | die Deutscharbeit | Wann schreiben wir die Deutscharbeit? |
| Entschuldigung | die Entschuldigung | Du brauchst eine Entschuldigung. |
| Kugelschreiber | der Kugelschreiber | Wo ist mein Kugelschreiber? |
| Lieblingslehrer | der Lieblingslehrer | Wie heißt dein Lieblingslehrer? |

## 3 Aua! Mir tut … weh!

**a Wem tut was weh? Ordnet die Sätze im Heft.**

1. Das Wetter war so kalt, deshalb …
2. Plato liebt Schokolade, deshalb …
3. Paul isst viele Hamburger, deshalb …
4. Frau Müller war zwei Tage in den Bergen, deshalb …
5. Die Musik war viel zu laut, deshalb …
6. Pia sieht viel fern, deshalb …

A … tun ihr die Augen weh.
B … hat Nadja Halsschmerzen.
C … ist ihm schlecht.
D … hat Robbie Kopfschmerzen.
E … tun ihr die Füße weh.
F … hat er oft Zahnschmerzen.

2.27

**b Hört das Telefongespräch. Wie geht es Frau Müller?**

**c Wie geht es dir? Spielt Gespräche in der Klasse.**

| | | | | |
|---|---|---|---|---|
| ● Wie geht es dir?<br>● Geht es dir gut?<br>● Geht es dir heute nicht gut? | ○ Es geht mir nicht so gut.<br>○ Es geht mir schlecht.<br>○ Nein, es geht mir nicht gut.<br>○ Mir geht's wirklich schlecht. | ● Was hast du denn?<br>● Was ist los? | ○ Mir tut/tun … weh.<br>○ Mein/Meine … tut/tun weh.<br>○ Ich habe … schmerzen.<br>○ Mir ist (so) schlecht. | ● Hoffentlich geht es dir bald besser.<br>● Gute Besserung! |

## 4 Pantomime: Krankheiten

**a Ein Schüler / Eine Schülerin spielt eine Krankheit vor. Die anderen raten.**

**b Wie heißen die Krankheiten in euren Sprachen?**

## 5 Das Mathe-Fieber, Teil 1 „Die Klassenarbeit"

### a Seht die Bilder an und beschreibt sie zu zweit.

1. Alex: 7 Uhr – aufstehen
2. Stundenplan lesen – Schultasche packen
3. Heute: Klassenarbeit Mathe – Angst bekommen – Idee haben
4. Alex: wieder ins Bett gehen – Mutter: ins Zimmer kommen – Alex: „Mir geht es so schlecht!"
5. Mutter: Tee und Tabletten bringen – zur Arbeit gehen – „Gute Besserung!"
6. Alex: laut Musik hören – Comics lesen – Handy klingeln

*Bild 1: Alex steht um 7 Uhr auf.*

2.28

### b Hört das Telefongespräch. Wer sagt das? Alex, Nora oder Julia?

1. Ich verstehe dich nicht.
2. Ich verstehe ihn nicht.
3. Besucht ihr mich?
4. Wir besuchen dich.
5. Wir besuchen ihn.
6. Ruf mich bitte an.
7. Ich koche Tee für euch.
8. Er kocht Tee für uns.
9. Wir haben eine Überraschung für ihn.

### c Würfel-Spiel: Spielt zu zweit und macht Sätze.

| | | | |
|---|---|---|---|
| 1 | besuchen | 1 | mich |
| 2 | verstehen | 2 | dich |
| 3 | anrufen | 3 | ihn/es/sie |
| 4 | kochen (für) | 4 | uns |
| 5 | abholen | 5 | euch |
| 6 | treffen | 6 | sie/Sie |

*Zwei und vier, „verstehen" und „uns": Er versteht uns.*

**Personalpronomen im Akkusativ**

| | |
|---|---|
| ich | Ruf **mich** bitte an. |
| du | Ich verstehe **dich** nicht. |
| er/es/sie | Wir besuchen **ihn/es/sie**. |
| wir | Er kocht Tee für **uns**. |
| ihr | Wir haben eine Überraschung für **euch**. |
| sie/Sie | Ich rufe **sie/Sie** an. |

## 6 Das Mathe-Fieber, Teil 2 „Der Besuch"

**a Ein Freund / Eine Freundin von euch ist krank. Was bringt ihr mit? Sprecht in der Klasse.**

**b Ordnet die Sätze den Bildern zu.**

**A** Du bleibst zu Hause und lernst Mathe! • **B** Hallo Alex! Wir haben eine Überraschung für dich! • **C** Wir essen ein Eis. Kommst du mit? • **D** Heute war keine Klassenarbeit. Der Mathelehrer ist krank. • **E** Ja! Ich komme mit! • **F** Kann ich das Paket aufmachen? • **G** Keine Klassenarbeit? Ich werde verrückt! • **H** Mama, neiiin! Mir geht es viel besser.

8

9

 **c Beschreibt die Bilder 7–9.**

| Bild 7 | Bild 8 | Bild 9 |
|---|---|---|
| Am Nachmittag besuchen … | Nora und Julia … | Dann kommt … |
| Zuerst macht Alex … | Alex möchte … | Alex muss … |
| Danach … | | |

## 7 Bewegung ist gesund

**a Wiederholt in der Klasse: Wie heißen diese Sportarten? Welche Sportarten sind in eurer Klasse noch wichtig? Sammelt.**

*surfen, …*

**b Wie kann man sich noch bewegen? Sammelt in der Klasse.**

*in der Disco tanzen — zu Fuß in die Schule gehen*
*Müll rausbringen — mit dem Hund spazieren gehen*
*Treppen gehen — …*

**c Pia braucht mehr Bewegung. Lest die Sätze über Pia und gebt ihr Tipps. Aufgabe a und b helfen.**

Pia sieht viel fern.
Sie geht gern mit Plato spazieren.
Ihr Freund Paul fährt gern Skateboard und spielt Fußball.

Du musst mit Plato viel spazieren gehen.
Fahr mit Paul Skateboard!
Tanz mit Paul!
Fahr mit dem Skateboard in die Schule!
…

## 8 Projekt: Wochenplan Bewegung

**Wie viel Bewegung habt ihr? Schreibt eine Woche lang alles auf. Überlegt: Habt ihr genug Bewegung?**

| | Montag | Dienstag | Mittwoch | |
|---|---|---|---|---|
| **Sport** | 30 Minuten schwimmen | | | |
| **andere Bewegung** | 15 Minuten in die Schule laufen … | | | |

*Experten sagen: Kinder und Jugendliche brauchen zwei Stunden Bewegung am Tag.*

## Kannst du das schon?

### Körperteile
- der Kopf: das Haar, das Auge, das Ohr, die Nase, der Mund, der Zahn
- der Hals, der Arm, die Hand, die Finger, der Bauch
- das Bein, der Fuß

### Genitiv-s bei Eigennamen
- Platos Ohren
  Koljas Nase
  Robbies Gitarre

### über Krankheiten sprechen
- Kopfschmerzen, Zahnschmerzen, Ohrenschmerzen, Halsschmerzen, Bauchschmerzen ...
- Mir tun die Füße / die Ohren / die Augen weh.
- Mir tut der Kopf / der Hals / der Bauch weh.
- Mir ist (so) schlecht.

### eine Geschichte erzählen

Nora und Julia besuchen Alex. Sie bringen Alex ein Geschenk mit. Sie haben auch noch eine Überraschung für ihn: „Heute war keine Klassenarbeit. Der Lehrer ist krank."
Alex sagt: „Keine Klassenarbeit? Ich werde verrückt!"
Nora und Julia wollen Eis essen. Sie fragen Alex: „Kommst du mit?" Er steht auf und will mitkommen.
Aber dann kommt seine Mutter nach Hause. Sie sagt: „Du bleibst zu Hause und lernst Mathe!" Alex ist sauer.

### Personalpronomen im Akkusativ *mich, dich*
Ruf **mich** bitte an.
Ich verstehe **dich** nicht.
Wir besuchen **ihn/es/sie**.
Er kocht Tee für **uns**.
Wir haben eine Überraschung für **euch**.
Ich rufe **sie/Sie** an.

### über Bewegung sprechen
- Skateboard/Fahrrad fahren, schwimmen, surfen, Fußball/Tennis spielen, wandern, laufen, ...
- Müll rausbringen, Treppen gehen, zu Fuß in die Schule gehen, tanzen, spazieren gehen, ...

Sag mal ‚A'!
Gute Besserung!
Ich werde verrückt!

## Noch einmal, bitte

### Körperteile
Nennt zehn Körperteile.

### Genitiv-s
Von wem ist ...?

### Krankheiten
Spielt den Dialog.
- *Wie geht's?* ○ ☹
- *Was?* ○ *... tut weh.*
- *bald besser.*

### eine Geschichte erzählen
Erzählt die Geschichte von Alex. Die Bilder helfen.

### Personalpronomen im Akkusativ
Macht drei Sätze.
*ich / nicht verstehen / dich / .*
*bitte / anrufen / ihn / !*
*sie / besuchen / uns / !*

### Bewegung
Wie viele Minuten/Stunden bewegt ihr euch an Schultagen / am Wochenende / in den Ferien?

*Gute Besserung*

15

**Wir lernen:**
mein Zimmer | Wohnräume | einen Weg beschreiben II | auf eine Einladung antworten | eine S-Bahn-Fahrt beschreiben | die Wohnsituation beschreiben
Wo? – *in* + Dativ | ihr-Imperativ | Wo? – *bei meinen Eltern, am See, im Park, auf der Weide*

# Bei mir zu Hause

2
das Poster
die Lampe
das Bett
der Tisch

## 1 Bens Zimmer

**a Was gibt es in beiden Zimmern? Sammelt zu zweit.**

*In beiden Zimmern gibt es ein Bett, …*

2.29

**b Hört das Gespräch. Wo sind die Personen? In Zimmer 1 oder 2?**

## 2 Das Zimmerspiel

**Übt zu zweit. Was ist in deinem Zimmer? Jeder notiert fünf Gegenstände. Fragt und antwortet wie im Beispiel.**

Hast du einen Schrank im Zimmer?
Ja. Hast du ein Regal im Zimmer?
Nein. Hast du … im Zimmer?

## 3 Bens Wohnung

**a Was kann Ben in seinem Zimmer machen? Wählt aus dem Kasten.**

schlafen • lesen • Musik hören • Computerspiele spielen • telefonieren • duschen • Zähne putzen • fernsehen • in der Sonne sitzen • kochen • Fußball spielen • eine Party feiern • Fahrrad fahren • frühstücken

*Ben kann Musik hören.*

**b Was macht Ben in den anderen Zimmern? Wählt aus den Wörtern in 3a aus.**

*Im Garten spielt Ben Fußball.*

| Wo? – in + Dativ | | |
|---|---|---|
| der | → | **im** Flur/Garten |
| das | → | **im** Bad/Wohnzimmer/Schlafzimmer |
| die | → | **in der** Küche/Toilette |

*im = in + dem.*

**c Malt eure Traumwohnung.**
**Dein Partner / Deine Partnerin rät die Zimmer.**

*Ist das deine Küche?*

*Nein! Hier putze ich Zähne.*

*Ist das dein Bad?*

*Ja!*

## 4 Eine Einladung

**a Lest die Sätze und dann die Nachricht. Welche Sätze sind richtig?**

1. Paul hat Geburtstag. 2. Paul feiert die neue Wohnung.
3. Die Freunde sind am Samstag und Sonntag bei Paul. 4. Die Gäste müssen nichts mitbringen.

FREUNDE – SCHULE
Pia, Robbie, Nadja, Kolja, Paula, Anton, Du

4. Juli

Paul

Hi Leute!
Wir haben eine neue Wohnung. Deshalb mache ich am Samstag um 16 Uhr eine Party.
Ich lade euch alle herzlich ein. Meine neue Adresse: Viktorstraße 4. Das ist in der Altstadt von Großdorf. Ich schicke euch einen Plan.
Das Beste: Wir schlafen in Zelten im Garten. Bringt bitte einen Schlafsack mit!
Ich hoffe, ihr kommt. Bitte sagt mir bis Donnerstag Bescheid!
Euer Paul
17:15

**b Der Weg zu Paul: Was ist falsch? Vergleicht mit dem Plan und korrigiert die Sätze.**

- mit der S-Bahn bis Haltestelle Großdorf fahren
- dort links rausgehen
- dann links gehen und dann geradeaus zur Lenzstraße
- rechts gehen und geradeaus zur Viktorstraße gehen
- dort wieder rechts gehen
- Hausnummer 4 ist links, bei Kunze klingeln

 **c Erklärt den Gästen den Weg zu Paul.**

*Fahrt mit der S-Bahn Richtung Flughafen bis ... Geht dann links raus. ...*

| ihr-Imperativ | | |
|---|---|---|
| fahren! | → | fahrt! |
| raus\|gehen | → | geht raus! |
| gehen | → | geht! |
| klingeln | → | klingelt! |

 **d Beschreibt den Weg zu euch nach Hause.**

## 5 Vielen Dank für die Einladung

**a Lest die Antworten. Wer kommt? Wer kommt nicht?**

Hi Paul,
vielen Dank für die Einladung. Ich komme gern.
Bis Samstag!
Nadja

Tag Paul,
tut mir leid, aber ich kann nicht zu der Party kommen. Mein Opa feiert Geburtstag.
Viel Spaß!
Paula

Hallo Paul! Ist dein Zimmer fertig? Ich komme natürlich und sehe mir alles an. Kolja

 **b Wollt ihr zu Pauls Party kommen? Sagt ihm zu oder ab.**

## 6 Die Fahrt zu Paul

### a Seht die Bilder an. Ordnet die Sätze den Bildern zu.

1

2

3

4

**A** Sie laufen zum Gleis 2. Die S-Bahn fährt ab. • **B** Die Freunde warten. Pia ist nicht pünktlich. Sie kaufen Fahrkarten. • **C** Paul ist traurig, aber seine Freunde kommen schon. • **D** Die Freunde steigen in die S-Bahn ein. Die S-Bahn kommt in Großdorf an und die Freunde steigen aus.

2.30

### b Hört die Gespräche. Warum kommen die Freunde so spät zu Paul?

*Pia kommt zu spät.*

*Plato hat …*

*Sie waren beim …*

*Die S-Bahn …*

## 7 Mit oder ohne *h*?

2.31

### a Welches Wort hört ihr? Schreibt ins Heft.

1. Haus – aus 2. hier – ihr 3. Halt! – alt 4. heiß – Eis 5. Hund – und 6. Hanna – Anna

### b Übt zu zweit. Einer sagt ein Wort aus 7a. Der andere rät: mit oder ohne *h*?

### c Gibt es in euren Sprachen Wörter mit *h*? Hört man es?

## 8 Nicht zu Hause wohnen

**a Seht euch das Foto und die Überschrift vom Text an. Was denkt ihr? Wo wohnt Magnus?**

### Magnus, 13 Jahre: „Ich habe zwei Familien."

Ich wohne nicht zu Hause. Ich wohne auch nicht bei meinen Eltern.
Ich wohne in einem Internat, im Internat Schondorf. Das ist in der Nähe von München, am Ammersee.
Ich gehe hier in die Schule, in die 7. Klasse, und ich wohne auch hier.
Meine Eltern sehe ich nur am Wochenende. Natürlich vermisse ich sie, aber die Lehrer und Erzieher hier sind super. Deshalb geht es mir hier sehr gut. Die anderen Schüler sind fast wie Geschwister für mich. Es ist wie eine zweite Familie.

Toll ist: Man ist hier nie allein. Wir essen zusammen, wir machen zusammen Sport, wir spielen zusammen. Das mag ich.
Ich habe zusammen mit Tassilo ein Zimmer. Er ist mein bester Freund.
Manchmal möchte ich aber auch allein sein. Das ist im Internat gar nicht so einfach. Das geht nur im Park auf der Bank. Oder auf der Weide. Da sind dann nur die Pferde.

**b Lest den Artikel und beendet die Sätze in der Klasse.**

1. Magnus wohnt nicht ... und nicht bei ...
2. Er wohnt im ... Das ist in der Nähe von ... am ...
3. Magnus fühlt sich ...
4. Die anderen Schüler sind wie ...
5. Magnus ist nie ... Die Schüler machen alles ...
6. Manchmal möchte Magnus ... Das geht nur ...

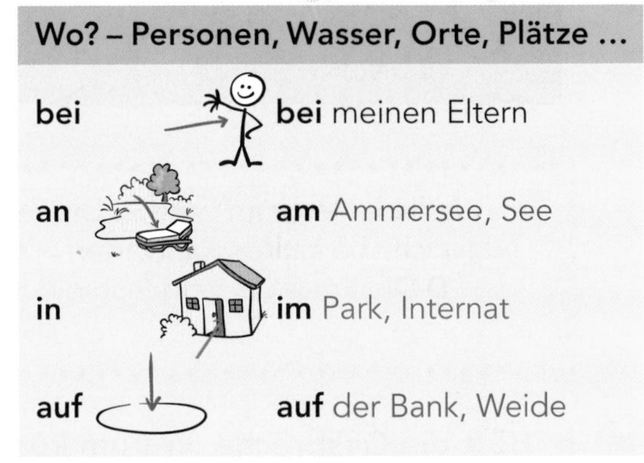


**c Und ihr? Wo und wie wohnt ihr? Schreibt ins Heft.**

Ich wohne in ... . Das ist in der Nähe von ... (am ... )
Ich wohne bei .... Hier wohnt auch mein/meine ...
Hier geht es mir ...
Ich habe zusammen mit ... ein Zimmer. Er/Sie ist ...
Manchmal möchte ich allein sein. Das geht ...

## 9 Projekt: Room-Tour

**Macht ein Video von einem Zimmer.**

Arbeitet zu zweit. ● Einer filmt, der andere präsentiert das Zimmer auf Deutsch. ● Das Video darf nicht länger als eine Minute sein. ● Zeigt das Video in der Klasse.

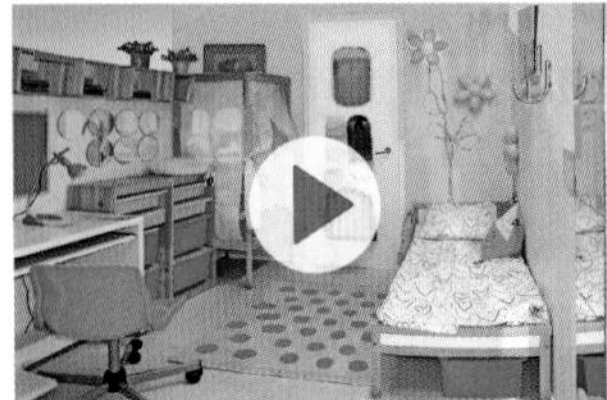

*Das ist mein Zimmer. Hier seht ihr ...*
*Das ist mein/meine ...*
*Hier kann ich ...*
*Das ist mein Lieblingsplatz. Hier ...*

| Kannst du das schon? | Noch einmal, bitte |
|---|---|
| **mein Zimmer**<br>– das Bett I der Tisch I der Stuhl I das Regal I die Lampe I der Schrank I das Poster I die Tür | **mein Zimmer**<br>Was ist in eurem Zimmer? |
| **Wohnräume**<br>– mein Zimmer I das Wohnzimmer I das Schlafzimmer I die Küche I der Flur I das Bad I die Toilette I der Garten | **Wohnräume**<br>Welche Zimmer hat eure Wohnung / euer Haus? |
| **Wo? – *in* + Dativ**<br>– im Flur/Garten<br>im Bad/Wohnzimmer/Schlafzimmer / in meinem Zimmer<br>in der Küche/Toilette | **Wo? – *in* + Dativ**<br>Wo macht ihr das:<br>*schlafen, essen, Musik hören?*<br>*Ich schlafe in …* |
| **einen Weg beschreiben**<br>– Fahrt mit der S-Bahn Richtung Flughafen bis Haltestelle Großdorf.<br>Geht dann links raus.<br>Geht dann rechts und dann geradeaus zur Lenzstraße.<br>Geht noch einmal rechts und geradeaus zur Viktorstraße.<br>Geht dann wieder rechts.<br>Die Hausnummer 4 ist links. Klingelt bei Kunze. | **Weg beschreiben**<br>Beschreibt den Weg zu Paul. |
| **auf eine Einladung antworten**<br>– Liebe … / Lieber …,<br>vielen Dank für deine Einladung. Ich komme gern.<br>Dein … / Deine …<br>– Liebe … / Lieber …<br>tut mir leid, aber ich kann nicht zur Party kommen.<br>Meine Mutter ist krank.<br>Dein … / Deine … | **auf eine Einladung antworten**<br>Sagt zu oder ab.<br>☺ *ja, kommen*<br>☹ *nein, Mutter krank* |
| **eine S-Bahn-Fahrt beschreiben**<br>– Fahrkarten kaufen – zum Gleis laufen/gehen – in die S-Bahn/U-Bahn einsteigen – die S-Bahn/U-Bahn fährt ab – die S-Bahn/U-Bahn kommt in … an – aussteigen | **eine S-Bahn-Fahrt**<br>Nennt fünf Aktivitäten. |
| **die Wohnsituation beschreiben**<br>– Ich wohne in Warnemünde. Das ist in der Nähe von Rostock, direkt an der Ostsee.<br>Ich wohne bei meinen Eltern. Hier wohnen auch meine Schwester und meine Großeltern.<br>Ich habe zusammen mit Corinna ein Zimmer. Sie ist meine Schwester.<br>Manchmal möchte ich allein sein. Das geht im Winter an der Ostsee. | **Wohnsituation**<br>Wo und wie wohnt ihr? Sprecht.<br>*Ich wohne in … Das ist …*<br>*Ich wohne bei … Hier wohnt auch … Ich habe zusammen mit … Er/Sie …* |
| Hi Leute!<br>Viel Spaß! | Hi Leute! |

# 16

**Wir lernen:**
Wiederholungsspiel | Feste und Feiern in DACH | eine Abschlussparty vorbereiten

# Finale

## 1 Wiederholungsspiel: „Drei gewinnt"

**Spielt zu zweit, zu dritt, zu viert …**

Jeder braucht zwölf Spielfiguren. Und so geht's:

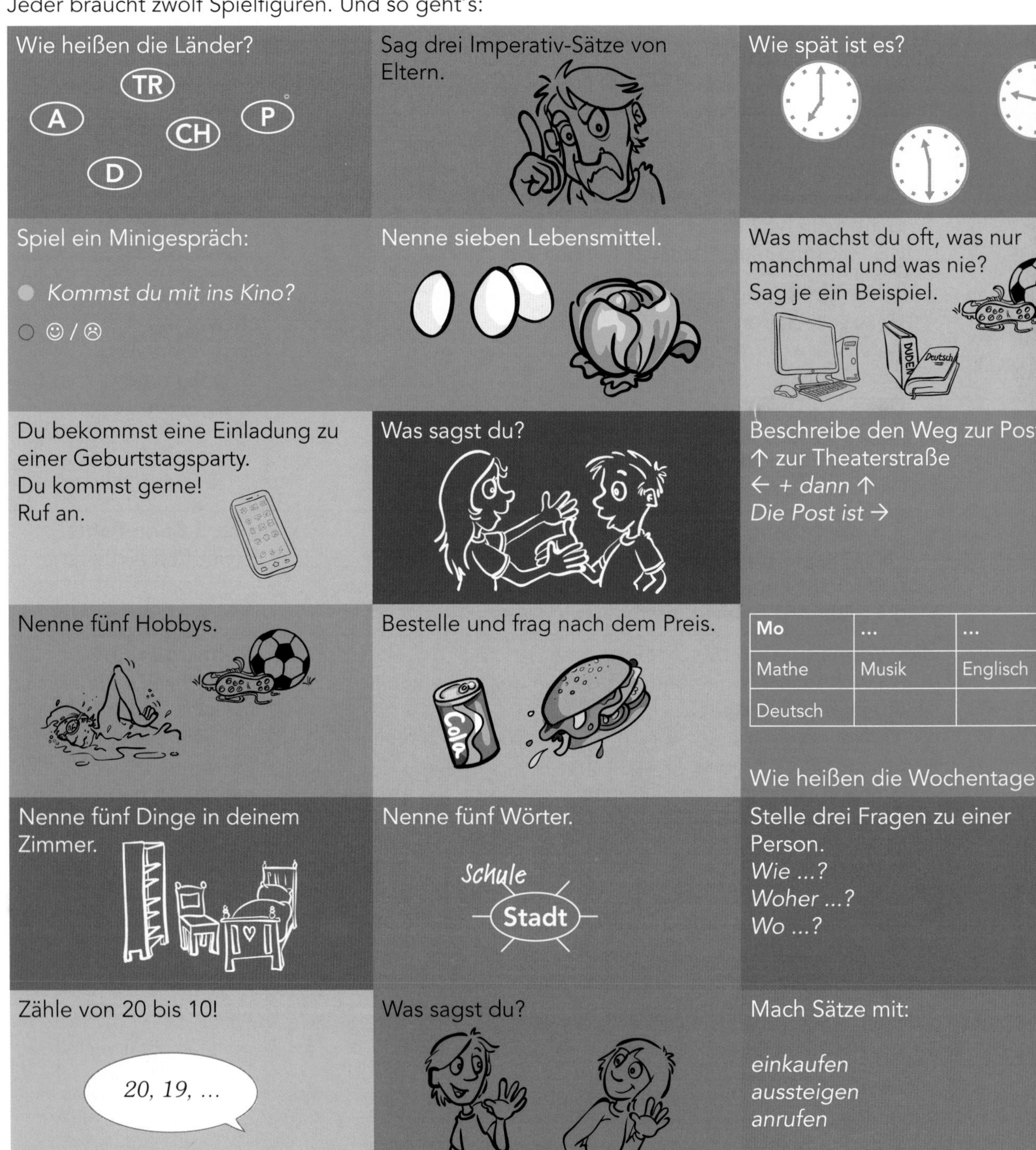

Wie heißen die Länder?
TR
A
CH
P
D
Sag drei Imperativ-Sätze von Eltern.
Wie spät ist es?
Spiel ein Minigespräch:
Kommst du mit ins Kino?
☺ / ☹
Nenne sieben Lebensmittel.
Was machst du oft, was nur manchmal und was nie? Sag je ein Beispiel.
DUDEN
Deutsch
Du bekommst eine Einladung zu einer Geburtstagsparty. Du kommst gerne! Ruf an.
Was sagst du?
Beschreibe den Weg zur Post
↑ zur Theaterstraße
← + dann ↑
Die Post ist →
Nenne fünf Hobbys.
Bestelle und frag nach dem Preis.
Cola
Mo
…
…
Mathe
Musik
Englisch
Deutsch
Wie heißen die Wochentage?
Nenne fünf Dinge in deinem Zimmer.
Nenne fünf Wörter.
Schule
Stadt
Stelle drei Fragen zu einer Person.
Wie …?
Woher …?
Wo …?
Zähle von 20 bis 10!
20, 19, …
Was sagst du?
Mach Sätze mit:
einkaufen
aussteigen
anrufen

Leg eine Spielfigur auf ein Feld und löse die Aufgabe. ● Richtig? Die Figur bleibt liegen. ● Falsch? Die Figur muss weg. ● Der nächste Spieler kommt dran. ● Hast du drei in einer Reihe? Du gewinnst! ● Sind alle Spielfiguren weg und keiner hat drei in einer Reihe? Das Spiel ist unentschieden.

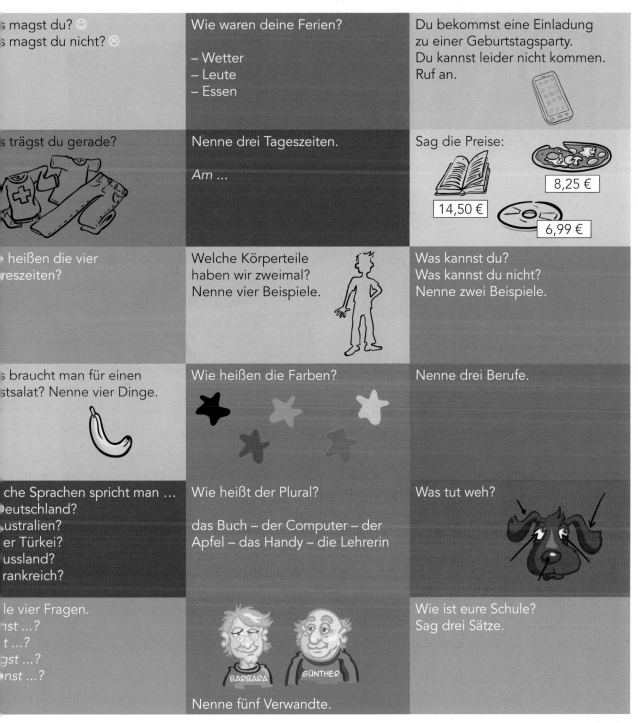

| | | |
|---|---|---|
| s magst du? ☺<br>s magst du nicht? ☹ | Wie waren deine Ferien?<br><br>– Wetter<br>– Leute<br>– Essen | Du bekommst eine Einladung zu einer Geburtstagsparty.<br>Du kannst leider nicht kommen.<br>Ruf an. |
| s trägst du gerade? | Nenne drei Tageszeiten.<br><br>*Am …* | Sag die Preise:<br>14,50 €<br>8,25 €<br>6,99 € |
| heißen die vier<br>reszeiten? | Welche Körperteile haben wir zweimal?<br>Nenne vier Beispiele. | Was kannst du?<br>Was kannst du nicht?<br>Nenne zwei Beispiele. |
| s braucht man für einen<br>stsalat? Nenne vier Dinge. | Wie heißen die Farben? | Nenne drei Berufe. |
| che Sprachen spricht man …<br>eutschland?<br>ustralien?<br>er Türkei?<br>ussland?<br>rankreich? | Wie heißt der Plural?<br><br>das Buch – der Computer – der Apfel – das Handy – die Lehrerin | Was tut weh? |
| le vier Fragen.<br>*nst …?*<br>*t …?*<br>*gst …?*<br>*nst …?* | BARBARA GÜNTHER<br>Nenne fünf Verwandte. | Wie ist eure Schule?<br>Sag drei Sätze. |

## 2 Feste und Feiern in (D)-(A)-(CH)

**a Seht die Fotos an. Welche Feste kennt ihr schon?**

Weihnachten • Nationalfeiertag • Karneval/Fasching • Ostern • Silvester • Geburtstag

**b Kennt ihr noch andere Feste aus Deutschland, Österreich oder der Schweiz?**

2.32

**c Lest die Texte und hört die drei Gespräche. Was passt zu welchem Fest?**

(B)

Lieber Anton,
wir sind mit der Klasse in Köln. Es ist super hier. Alle haben frei und feiern auf der Straße. Die Menschen haben tolle Kostüme an (Clown, Indianer, Hund, Lehrer ☺ ...). Alle singen lustige Lieder.
Es ist echt cool hier.
Aber auch total kalt. Deshalb sitze ich jetzt im Café, trinke einen Kakao und schreibe an Dich.
Später mehr. Ich habe Fotos, die sind echt lustig!!!
Bis bald, Deine Charlotte

Anton
Sonnen
76354

(A)

(C)

**Pixil805:** Gut drauf ...?
**CJ1994:** Klar, morgen ist ein super Tag.
**Pixil805:** ???
**CJ1994:** Rate mal: Party, Geschenke, Kuchen ...
**Pixil805:** Und Familie!
**CJ1994:** Ja, genau. Du kapierst schnell.
**Pixil805:** Ich feier lieber meinen Namenstag.
**CJ1994:** Wann?
**Pixil805:** Am 19. 01.
**CJ1994:** ... Dann heißt du Mario, Pia oder Martha!
**Pixil805:** Genau!

(D)

(E)

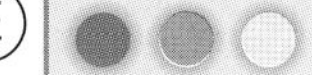

Bin nicht da!

Hey Karo,
ich will dir nur Bescheid sagen, ich bin morgen nicht online.
Wir haben morgen frei – SUPER!!!
Am 1. August ist unser Bundestag, also der Nationalfeiertag.
Da gibt es viele Feste und Feiern. Und überall die Schweizer Fahnen.
Ich fahre aufs Land zu meinem Opa. Er macht Musik.
Er kann Alphorn spielen. Alphörner sind ganz typisch in der Schweiz und Alphorn spielen ist echt schwer. Aber mein Opa kann das und die ganze Familie kommt zu Besuch.
Am Sonntag bin ich wieder da.
Bis dann
Flori
P.S.: Habt ihr auch einen Nationalfeiertag?
Habt ihr dann auch frei?

(F)

*Prost Neujahr!!!*

**d Welche Feste gibt es in eurem Land, in eurer Region? Beschreibt die Feste und macht Plakate mit Texten, Bildern usw.**

Wer feiert?
Wann ist das Fest?
Haben die Menschen frei?
Gibt es Geschenke, Lieder ...?

## 3 Die Kurs-Abschlussparty

### a Arbeitet in Gruppen. Wählt ein Spiel aus A–F und macht die Aufgaben.

1. Lest den Text zu eurem Spiel. Welches Bild passt?
2. Überlegt: Was braucht ihr für das Spiel? Macht eine Liste.
3. Erklärt das Spiel in der Gruppe. Erklärt es dann in der Klasse.

**A Luftballon-Tanz**
Musik läuft und immer zwei tanzen zusammen. Sie haben einen Luftballon zwischen den Köpfen. Welches Paar kann den Luftballon am längsten ohne Hände halten?

**B Montagsmaler**
Ein Schüler / Eine Schülerin malt etwas auf ein Blatt Papier oder an die Tafel. Die anderen raten: Was ist das?
Antwort richtig? → 1 Punkt und der Schüler / die Schülerin mit dem Punkt malt etwas anderes an die Tafel.
Wer hat die meisten Punkte?

**C Pantomime**
Ein Schüler / Eine Schülerin spielt ein Wort vor (z. B. ein Hobby, ein Essen, ein Fest …). Er/Sie darf nicht sprechen. Die anderen raten: Was macht er/sie?
Antwort richtig? → 1 Punkt und der Schüler / die Schülerin mit dem Punkt spielt ein anderes Wort vor.
Wer hat die meisten Punkte?

**D Ich packe meinen Koffer**
Schüler/Schülerin 1 sagt z. B.: „Ich packe meinen Koffer und nehme ein Buch mit." Schüler/Schülerin 2 wiederholt und ergänzt: „Ich packe meinen Koffer und nehme ein Buch und ein Radio mit." Schüler/Schülerin 3 wiederholt alles und ergänzt ein Wort … Wer einen Fehler macht, ist raus.

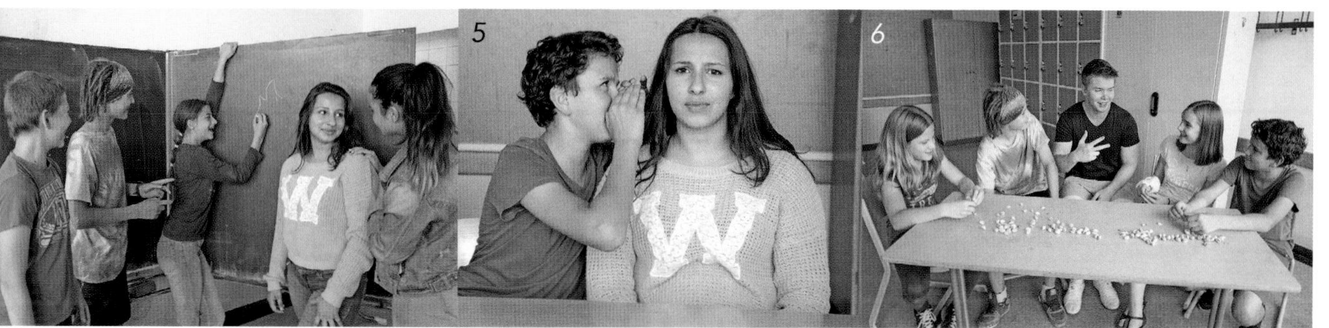


**E Ich sehe was, was du nicht siehst**
Ein Schüler / Eine Schülerin wählt ein Ding im Raum. Dann sagt er/sie z. B.: „Ich sehe was, was du nicht siehst, und das ist grün."
Was ist das Ding? Richtige Antwort? → 1 Punkt und der Schüler / die Schülerin mit dem Punkt macht weiter.
Wer hat die meisten Punkte?

**F Stille Post**
Alle Schüler sitzen im Kreis. Schüler/Schülerin 1 sagt einen Satz sehr leise in das Ohr von Schüler/Schülerin 2. Schüler/Schülerin 2 sagt es in das Ohr seines/ihres Nachbarn / seiner/ihrer Nachbarin …
Der/Die Letzte sagt den Satz laut.
Ist der Satz gleich wie am Anfang?

**b** **Welche Spiele kennt ihr noch? Könnt ihr sie auf Deutsch erklären?**

**c** **Stimmt in der Klasse ab: Welche Spiele wollt ihr bei eurer Kurs-Abschlussparty spielen? Jeder hat zwei Stimmen. Probiert die besten Spiele aus.**

Luftballon-Tanz 𝍸 II
Stille Post III

**d** **Überlegt in der Klasse: Was braucht ihr noch für eure Party? Wer macht was?**

| Musik | Essen/Trinken | Dekoration |
|---|---|---|
| – DJ → Max | – Saft → … | – … |
| – Musikanlage → … | | |

**e** **Sprecht ganz viel Deutsch auf eurer Party. Viel Spaß!**

# Grammatikübersicht

## *Es*

| | |
|---|---|
| Wetter | **Es** regnet.<br>**Es** ist kalt/warm/schön/heiß. |
| es gibt | **Es** gibt viele junge Leute hier. Es gibt viele Discos. |
| ☺–☹ | Wie geht **es** dir? – **Es** geht mir gut. / **Es** geht mir schlecht. |

## Genitiv-s bei Eigennamen

das Buch von Paul → Paul**s** Buch
die Pizza von Nadja → Nadja**s** Pizza

## Verben *sein* und *haben im* Präteritum

| | sein | haben |
|---|---|---|
| ich | war | hatte |
| du | warst | hattest |
| er/es/sie | war | hatte |
| wir | waren | hatten |
| ihr | wart | hattet |
| sie | waren | hatten |
| Sie | waren | hatten |

## Personalpronomen im Akkusativ

| Nominativ | Akkusativ | |
|---|---|---|
| ich | mich | Ruf **mich** bitte an. |
| du | dich | Ich besuche **dich**. |
| er<br>es<br>sie | ihn<br>es<br>sie | Ich verstehe **ihn** nicht.<br>Ich verstehe **es** nicht.<br>Ich verstehe **sie** nicht. |
| wir | uns | Ich koche das Essen für **uns**. |
| ihr | euch | Ich rufe **euch** an. |
| sie | sie | Ich sehe **sie**. |
| Sie | Sie | Ich verstehe **Sie** nicht. |

## Imperativ

| | gehen | klingeln | raus/gehen |
|---|---|---|---|
| du | **Geh!** | **Klingel!** | **Geh** raus**!** |
| ihr | **Geht!** | **Klingelt!** | **Geht** aus**!** |

## Präpositionen

| | Wohin? | Wo? |
|---|---|---|
| | Ich fahre ...<br>**nach** Spanien/Madrid/Asien.<br>**in die** Schweiz. | Ich wohne ...<br>**in** Spanien/Madrid/Asien.<br>**in der** Schweiz. |
| | Ich fahre ...<br>**zu** meinem Opa / meiner Oma / meinen Eltern.<br><br>*zu* + Dativ | Ich wohne ...<br>**bei** meinem Opa / meiner Oma / meinen Eltern.<br><br>*bei* + Dativ |
| | Ich fahre ...<br>**an** den Bodensee.<br>**ans** Meer.<br>**an** die Nordsee.<br><br>*an* + Akkusativ | Ich bin ...<br>**am** Bodensee.<br>**am** Meer.<br>**an** der Nordsee.<br><br>*an* + Dativ |
| | Ich fahre ...<br>**in** den Park.<br>**ins** Eiscafé.<br>**in** die Schule.<br>**in** die Berge.<br><br>*in* + Akkusativ | Ich bin ...<br>**im** Flur/Park.<br>**im** Bad/Internat.<br>**in** der Küche.<br><br>*in* + Dativ |
| | Ich fahre ...<br>**zum** See.<br>**zum** Schwimmbad.<br>**zur** Schule.<br><br>*zu* + Dativ | |
| | | Ich bin ...<br>**auf** der Bank/Weide.<br>*auf* + Dativ |

**ins** = in + das
**zum** = zu + dem
**zur** = zu + der
**am** = an + dem

# Tipps für die Prüfung

## 1 Prüfungsteil Hören: Nachrichten

**a Lest die Aufgabe aus der Prüfung und beantwortet die Fragen.**

Du hörst **drei** Nachrichten am Telefon.
Zu jeder Nachricht gibt es Aufgaben.

Kreuze an: a, b oder c.

Du hörst jede Nachricht **zweimal**.

- Wie viele Nachrichten hört ihr in der Prüfung?
- Was gibt es zu jeder Nachricht?
- Was sollt ihr machen?
- Wie oft hört ihr jede Nachricht?

2.33

**b Lest die Aufgaben 1 und 2. Hört dann die Nachricht und lest mit.**

1 Laura muss
a ein Buch lesen.
b einkaufen.
c Hausaufgaben machen.
2 Danach will sie
a in den Supermarkt gehen.
b ins Kino gehen.
c nach Hause gehen.
SUPERMARKT

*Hallo, hier ist Laura. Wollen wir später ins Kino? Ich war gerade einkaufen und jetzt muss ich zuerst Hausaufgaben machen. Aber danach habe ich Zeit. Ruf mich mal an. Tschüs.*

**c Welche Antworten sind richtig?
Schreibt die Antworten zu Aufgabe 1 und 2 ins Heft.**

1: *Laura muss ...*
2:

**d Hört die Nachricht noch einmal. Kontrolliert eure Antworten.**

## 2 Prüfungsteil Sprechen: Bitten, Aufforderungen und Fragen formulieren und darauf antworten oder reagieren

**a Welche Antwort passt zu welcher Frage? Schreibt ins Heft.**

1. Ist das dein CD-Player?
2. Hast du einen Computer?
3. Magst du Pizza?
4. Kannst du Gitarre spielen?
5. Sind das deine Bücher?

| | | | | |
|---|---|---|---|---|
| | 1 E | | | |
| | | | | |

A Nein, ich habe keinen Computer. Aber mein Bruder hat einen Computer.
B Ja, das sind meine Bücher.
C Nein, ich kann nicht Gitarre spielen. Aber ich kann gut singen.
D Klar, ich liebe Pizza.
E Nein, das ist Ronjas CD-Player.

**b Wie viele Aufforderungen und Fragen findet ihr? Macht eine Tabelle an der Tafel und ergänzt weitere Beispiele.**

| ! | ? |
|---|---|
| *Zieh die Jacke an!* | ... |

1. Ist der Stuhl frei
2. Zieh die Jacke an
3. Wo ist meine CD
4. Schau mal, das Foto
5. Ist das dein Hund
6. Gib mir die Banane
7. Mach die Musik leise

**c Was könnt ihr auf die Aufforderungen und Fragen antworten? Schreibt die Antworten an die Tafel.**

*Zieh die Jacke an!*
*– Ja, mach ich.*
*– Nein, ich habe keine Lust.*

**d Arbeitet zu zweit. Macht drei Kärtchen mit Ausrufezeichen (!) und drei Kärtchen mit Fragezeichen (?). Mischt die Karten und legt sie umgedreht auf den Tisch. Jeder legt drei Sachen auf den Tisch. Nehmt eine Sache in die Hand und zieht eine Karte. Formuliert eine Frage (?) oder eine Aufforderung (!). Der andere antwortet.**

Ist das dein Schuh?
Ja, das ist mein Schuh.

# Regionen in Deutschland

## 3 An der Nordsee und in den Alpen

Film **Seht die Fotos an. Was denkt ihr? Welches Foto ist aus den Alpen, welches von der Nordsee?**

*Ich denke, A ist aus …*

A

C

E

D

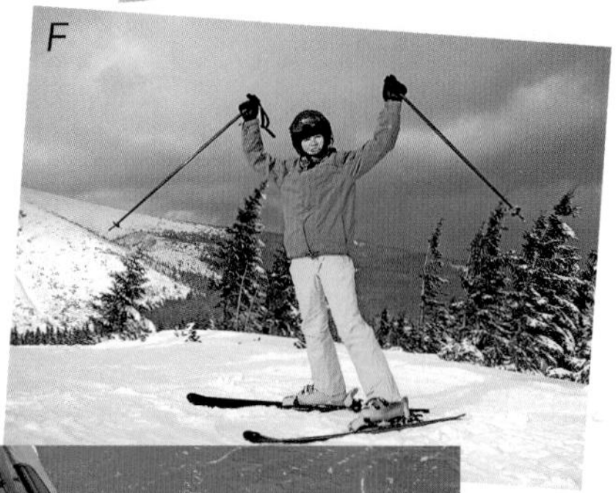

F

B

G

## 4 Zwei E-Mails

**a Was schreiben Kilian und Nele? Lest die E-Mails und sortiert sie.**

A Servus Nele,
oder vielleicht besser „Hallo"? Hier in Bayern sagen wir „Servus" – für „Hallo" und für „Tschüs" – das ist praktisch, oder?

B Im Sommer und im Herbst bin ich auch viel draußen: Ich wandere und klettere am Wochenende manchmal. In den Bergen kann man das ganze Jahr viel draußen machen. Wir haben zum Glück oft schönes Wetter! Wie ist das bei dir?

C Schreib mir bald!
Servus und viele Grüße

Kilian

PS: Möchtest du noch etwas Bayerisch lernen? Wir sagen „i" (ich), „ned" (nicht) und „a" (auch) – lustig, oder?

D Wie geht es dir? Hier bei mir ist es kalt und wir haben hier in Reit im Winkl ganz viel Schnee – ich liebe Schnee, dann kann ich Ski fahren. In den Ferien fahre ich fast jeden Tag Ski.

E Danach habe ich immer einen Riesenhunger! Und weißt du, was ich dann total gern esse? „Kaiserschmarrn"! Das ist wie ein Pfannkuchen, süß und lecker. Kaiserschmarrn esse ich eigentlich immer gern – im Winter, Frühling, Sommer und Herbst.

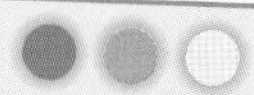

a Mir geht es gut, aber wir haben hier im Moment keinen Schnee. Auf Föhr schneit es nicht oft. Es ist im Winter nicht sehr kalt und im Sommer nicht so heiß. Aber Wind haben wir immer. ☺

b Im Winter sind wir viel zu Hause oder besuchen Freunde. Dann trinken wir viel Tee – leider ohne Kaiserschmarrn. Meine Oma kann eine richtig gute Krabbensuppe machen – mit Krabben aus der Nordsee! Die musst du mal essen – sie ist wirklich lecker.

c Moin, moin, Kilian,
danke für deine Mail. Bayerisch ist wirklich lustig! Wir hier in Norddeutschland haben auch viele schöne Wörter. Mir gefällt zum Beispiel „lütt" (klein) oder „mien" (mein). Und „moin" sagen wir für „hallo", aber „tschüs" ist „tschüs" ;-)

d Komm doch mal nach Föhr!
Viele Grüße und tschüs
Nele

E-Mail Kilian: A, ...
E-Mail Nele: ...

e Das ist prima zum Surfen. Seit zwei Jahren mache ich das jetzt, aber nur im Sommer. Kannst du surfen? Ich schwimme auch gern – das geht hier von Juni bis September. Es ist manchmal kalt, aber das macht nichts.

**b Was ist typisch für die zwei Regionen? Lest noch einmal und ergänzt die Tabelle.**

| | Essen | Wörter | Freizeit Sommer | Freizeit Winter |
|---|---|---|---|---|
| Alpen | | | | |
| Nordsee | | | | |

**c Arbeitet zu viert und wählt eine Region in eurem Land. Jeder sucht Informationen und Fotos zu einem Thema. Präsentiert dann in der Klasse.**

## Quellenverzeichnis

U2 © Polyglott Verlag GmbH, München
S. 8/9 Meike Birck
S. 11 10: Rafael Croonen – shutterstock.com, 5: Steve Lovegrove – shutterstock.com, 3: igor.stevanovic – shutterstock.com, 6: PartsArtsPictures – shutterstock.com, 18: SK Design – shutterstock.com
S. 14/15 Meike Birck
S. 17 B Suponev Vladimir – shutterstock.com, D Karkas – shutterstock.com
S. 18 Westend61 – imago stock
S. 20 Rüdiger Wölk – imago stock
S. 21 1 Theo Scherling, 2 Schöning – imago stock, 3 Georgios Kollidas – Dreamstime.com, 4 Joachim Sielski – imago stock, 5 Westend61 – imago stock, 6 BMW: Evren Kalinbacak – shutterstock.com, Mercedes: defpicture – shutterstock.com
S. 22 oben re.: Georgios Kollidas – Dreamstime.com; 1 Gravicapa – shutterstock.com, 2 Moyseeva Irina – Fotolia.com, 3 Steffen Schellhorn – imago stock, 4 nikolae – shutterstock.com, 5 irin-k – shutterstock.com, 6 Bomshtein – shutterstock.com, 7 STILLFX – shutterstock.com, 8 Basov Mikhail – shutterstock.com
S. 24 Torsten Becker – imago stock
S. 26 1 TracyWhiteside – shutterstock.com, 2 Dieter Rogge, 3 Barbara Habermann, 4 TracyWhiteside – shutterstock.com, A Helen Schmitz, B Archiv Bild & Ton, C PhotoCreate – shutterstock.com, D SeanNel – shutterstock.com
S. 27/29 PhotoCreate – shutterstock.com
S. 30 Meike Birck
S. 34 Javier Fontanella – iStockphoto
S. 36/37 Karte: Polyglott
S. 36 Watt: Harlekin1979 – Fotolia.com, Fischmarkt: dpa / picture alliance, Stadtmarathon Berlin: Land Berlin/Thie, Kölner Dom: Gerd Schmitz
S. 37 Stollenfest: dpa / picture alliance, Allianz Arena: pixelio, Zytgloggeturm: Schlierner – Fotolia.com, Gebirgslandschaft: SARMAT – Fotolia.com, Salzburg: canadastock – shutterstock.com, Fiaker: Martin – Fotolia.com
S. 39 oben: A, B, C imagebroker – imago stock, D Herb Hardt – imago stock, E CHROMORANGE – imago stock; Mitte und unten: alle Fotos: Dieter Mayr
S. 41 Meike Birck
S. 42 A destina – Fotolia.com, Kaffeetasse: Norbert Schmidt – imago stock, B Meike Birck, C emil umdorf – imago stock; unten re.: Dieter Mayr
S. 44 Dieter Mayr
S. 46 oben 1. von li.: bacalao – Fotolia.com, oben 2. von li.: Jörg Lantelmé Fotodesign, oben 3. von li.: Version Berlin, oben 4. von li.: Jacek Chabraszewski – shutterstock.com; 1–6 Langenscheidt Archiv
S. 48 A, B Meike Birck, C auremar – shutterstock.com, D wolfmaster 13 – shutterstock.com; unten re.: Meike Birck
S. 51 Annalisa Scarpa in Diewald
S. 52 DWP – Fotolia.com
S. 53 Klavier Icon: andromina – shutterstock.com; alle Fotos: Meike Birck
S. 54 Claudia Dewald – iStockphoto
S. 56/57 alle Fotos: Meike Birck
S. 58 Kenan: imagebroker – imago stock, Francesca: All Canada Photos – imago stock, Schlitten: Westend61 – imago stock, Fahrrad: Mediagram – shutterstock.com, Pferd: imagebroker – imago stock, Auto: alma_sacra – Fotolia.com, Bus: Sven Ellger – imago stock, U-Bahn und Zug: Rüdiger Wölk – imago stock, Schiff: Christian Ode – imago stock
S. 60 Meike Birck
S. 71 Glas: fotoimedia – imago stock; Kuchen: CTK/CandyBox – imago stock; Bus: Stefan Zeitz – imago stock; Bleistift, Schuhe: fotoimedia – imago stock; Brille: Schöning – imago stock; Radiergummi: Steinach – imago stock; Buch: fotoimedia – imago stock; Hund und Bruder/Schwester, Katze, Mann: Westend61 – imago stock; Blumenstrauß: Werner Otto – imago stock; Eis: STL – imago stock; Fahrrad: Mediagram – Shutterstock.com; Ärztin: Science Photo Library – imago stock; Motorrad: imagebroker – imago stock;
S. 72 Mitte: All Canada Photos – imago stock unten: shutterstock.com
S. 74 alle Fotos: Dieter Mayr
S. 78 Zeitungshintergrund: Robyn Mackenzie – shutterstock.com
S. 80 1, 6 Helen Schmitz, 2 Raimund Müller – imago stock, 3 imageborker – imago stock, 4 Sämmer – imago stock, 5 Digitalpress – Fotolia.com
S. 81 Sabine Wenkums
S. 83 Fotos: Sabine Wenkums
S. 88 li.: Westend61 – imago stock; Mitte: imagebroker – imago stock; re.: McPHOTO – imago stock
S. 89 oben: Dieter Mayr; unten li.: Kues – shutterstock.com; unten Mitte: Alexander Raths – shutterstock.com; unten Re.: BONNINSTUDIO – shutterstock.com
S. 94 Fotos: Westend61 – imago stock
S. 96/97 Stefanie Dengler
S. 98 oben re.: Helen Schmitz; 1 Sarah Fleer, 2 Theo Scherling, 3 Volker Schmitz, 4 Junkii – shutterstock.com
S. 99 Strand: Anton Gvozdikov – shutterstock.com, Party: Alex Emanuel Koch – shutterstock.com, Rafting: VILevi – shutterstock.com
S. 101 A Volker Schmitz, B Helen Schmitz, C Junkii – shutterstock.com
S. 102 alle Fotos: Theo Scherling
S. 106 alle Fotos: Dieter Mayr
S. 107 Äpfel, Kuscheltier, Eis: imagebroker – imago stock, Bananen: Schöning – imago stock, Tabletten: View Stock – imago stock, Comicheft: teutopress – imago stock, Buch li.: Mentor Verlag, Buch re.: Sabine Wenkums, Blumenstrauß: Niehoff – imago stock, Würfelspiel, Saft, Schokolade: Westend61 – imago stock, CDs: STILLFX – shutterstock.com; unten: alle Fotos Dieter Mayr
S. 109 alle Fotos: Dieter Mayr
S. 110 alle Fotos: Bettina Lindenberg
S. 111 Skizze Traumwohnung: Cordula Schurig
S. 114 oben: Jupiterimages – Thinkstock, unten: Kolobrod – shutterstock.com
S. 117 Helen Schmitz
S. 118 1 Geisser – imago stock, 2 imagebroker/begsteiger – imago stock, 3 Heinz Waldukat – Fotolia.com, 4, STPP – imago stock, 5 Westend61 – imago stock, 6 Kzenon – shutterstock.com
S. 120/121 alle Fotos: Meike Birck
S. 124 Javier Fontanella – iStockphoto
S. 126 A, C Westend61 – imago stock, B Ars Ulrikusch – Fotolia.com, D Florian Alff, E Dirk Vonten – Fotolia.com, F Jacek Chabraszewski – shutterstock.com, G Pistryy Valeriy – shutterstock.com